Dunno what fate has in store for me,

Dunno where life will lead,

A flickering moment,

A whole lifetime,

It ain’ t no different for me...

The Life of Sukezo

Original script
Sugimoto Takeshi
Manga creator
Araki Hiroyuki
Title calligraphy
Daikouji Kei
Translation
Hanabusa Midori
Dialect advisor
Suzuki Kiyoe
Proofreader
Oodaira Kana
Printer
Sansyodo Printing Co., Ltd.

Design/Production
PBC Inc.
pbc-network.co.jp
2020

ハリスに仕えお吉に恋した下田の少年
助蔵物語
すけぞうものがたり
原作シナリオ
杉本 武
幕末お吉研究会
漫画
荒木浩之
剣名プロダクション

初の駐日米国総領事
タウンゼント・ハリスに仕えた
西山助蔵と
村山瀧蔵を
ご存じですか？

日本史の中でも注目度が高い、幕末明治を生きた実在の人物ですが、その功績や人生については、これまでほとんど語られてきませんでした。開国の悲劇のヒロインと言われる「唐人お吉」こと斎藤きちの実像を探っていくうちに出会ったのが、この助蔵と瀧蔵です。

彼らは、初の米国領事館となった下田 玉泉寺において、タウンゼント・ハリスや、通訳のヘンリー・ヒュースケンの小間使いとして、住み込みで働いた地元の少年たち。つまり、お吉が玉泉寺に奉公に上がる前から、彼らはそこにいたのです。

これまでの幕末史には登場することのなかった「下田のジョン万次郎」たちの生きざまを 感じとっていただければ嬉しいです。

西山助蔵

幕末の伊豆下田で農家の長男として生まれる。西山家は大地主で助蔵は五代目にあたる。

もくじ

助蔵の仲間たち
村山瀧蔵
助蔵と同じ地域に住む農家の次男坊で助蔵の盟友。村山家は地域の神社の世話役をしていた。
少年時代
晩年
斉藤きち
後に「唐人お吉」として知られる下田芸者。ハリスに奉公したことは史実だが一般的に知られている悲劇の物語はフィクションである。

駐日米国領事館の人々

タウンゼント・ハリス
Townsend Harris

初代 駐日米国総領事として一八五六年八月二十一日、五十二歳で下田へ着任。日米修好通商条約を締結し、本格的な貿易開始を実現。

ヘンリー・ヒュースケン
Henry Conrad Joannes Heusken

二十一歳で祖国オランダを出て、アメリカへ移民。オランダ語が話せる通訳を必要としていたハリスに雇われ、二十四歳で来日した。

下岡蓮杖
櫻田久之助

下田時代は本名の櫻田久之助として足軽頭をしていたが、後に商業写真の祖・下岡蓮杖として歴史に名を刻む。

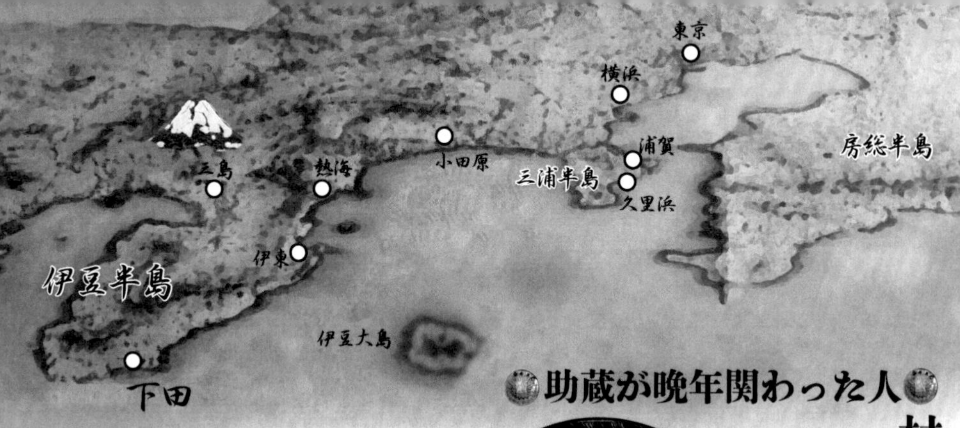

助蔵が晩年関わった人

村松春水（むらまつしゅんすい）

下田の眼科医。晩年、郷土史家として郷土史「黒船」に発表した「唐人お吉」が話題となり、下田を全国に知らしめた。

どうやらお吉に惚れたのはオイラだけじゃないらしい…

この物語は、現時点で調べることができる限りの史実に基づいて構成しています。中には完全な裏付けまではとれていないエピソードも含まれています。ただし、史実を曲げてしまう恐れのある、まったく根拠のない想像に基づいたエピソードは、ひとつもありません。

ハリスに仕え
お吉に恋した
下田の少年

助蔵物語

「唐人お吉」の研究で知られる下田の医師で郷土史家・村松春水（むらまつ しゅんすい）が営んだ医院の庭木「春水の松」
伊豆急下田駅前から了仙寺方面へ伸びるマイマイ通り沿いにあったが 2013 年 松食い虫にやられてしまい現在はない

伊豆下田
明治三十年代（一八九七頃）

ガリ
ガリ…
まともに読めやしねぇ
くい
くい
官許
朝野新聞
パ
パ
Hey Boy!

わっ
ピッ
パシッ!
なんだぁ
こりゃあ?
西洋の銀貨に
漢字が刻印
してあらぁ
ひゃっ
ひゃっ
ひゃっ
REPUBLICA MEXICANA

※一分銀／江戸時代末期に流通した銀貨の一種　銀貨には上から貫・匁・分の単位がある　時代劇によく登場する両は金貨の単位

※Consul＝領事／外国に駐在して自国の通商などにつとめる役人

Do you know Townsend Harris?

タウンゼント・ハリスを知（し）ってるかい？

西山助蔵

にしやま すけぞう

旧暦※　天保十三年九月八日

西暦　一八四二年十月十一日

※旧暦／現在使われているグレゴリオ暦に改暦する以前の明治五年（一八七二）まで使われていた暦

豆州(ずしゅう)※下田(しもだ)生(う)まれ

※豆州／伊豆国（いずのくに）ともいう　現在の静岡県　伊豆半島

ハリスに仕えお吉に恋した下田の少年
助蔵物語
すけぞうものがたり
題字/大光寺 圭

Episode 1
ハリスとの出会い
嘉永七年（一八五四）——下田湾
わ〜っ
でっけぇーなー
助蔵 十二歳
寅年 生まれのオイラが初めて次の寅年を迎えた
マシュー・カルブレイス・ペリー提督
その年 黒船が来た！
それだけじゃなく…寅の大変と呼ばれる大事件が起きた

その年の暮れにものすごい地震がおきたんだ※
ゴゴゴゴゴ
※安政東海地震／一八五四年十二月二十三日に発生した南海トラフ地震
下田はあらかた津波で流されちまった…
縁起が悪い…てんで元号は 嘉永から安政に変わったといいゃあ…
開港地となった下田にゃ 異人船がたびたび来航して異人が歩きまわるようになった
最初はおっかなビックリだったけどよ…下田は昔っから風待ちの港だ※
※風待ちの港／帆船が 強い季節風や暴風雨を避け 順風を待つための港 下田は江戸と大坂の間に位置し「海の関所」もあった
ブチッ
よそ者のあつかいにゃ慣れたモンさ

また津波が
来ると
困るってんで

役人たちは 海から
離れた オイラんチの
あたりに奉行所を
作ることに決めたんだ

下田奉行所※
中村
稲生沢川
柿崎村
下田村

※下田奉行所／現在は下田警察署が建っている

接収

おかげで
先祖代々の
田畑は取り上げられ

オヤジたちは
百姓を続けられ
なくなっちまった

ハリスに仕え お吉に恋した 下田の少年

助蔵
十四歳頃

オイラにとっちゃこんなラッキーなことはない

元服※を迎えても百姓をやらずにすむんだからな

ラッキー？運がいいってことさ

※元服／十五歳前後に男子が行う成人の儀式のこと

※足軽／通常は武家出身でなければなれなかった歩兵 下田では五十名集められた

※下岡蓮杖／商業写真の祖といわれている写真家 新撰組局長 近藤勇の肖像写真を撮影している

名主※西山家の
せがれ 助蔵と
※名主と願ん所／名主は集落の中でリーダー的な立場にあった家
願ん所は集落の中心にあった神社の世話役的立場で
いわばサブリーダーや会計係のような役割
祀ごとを司る
願ん所※村山家の
せがれ 瀧蔵に
ございます
よかろう
その方らに
官吏附を
申しつける
コ。
コラ
礼を
いわんか
ありがたき
幸せにございます

※官吏／国から任命されて その国のために働く人のこと

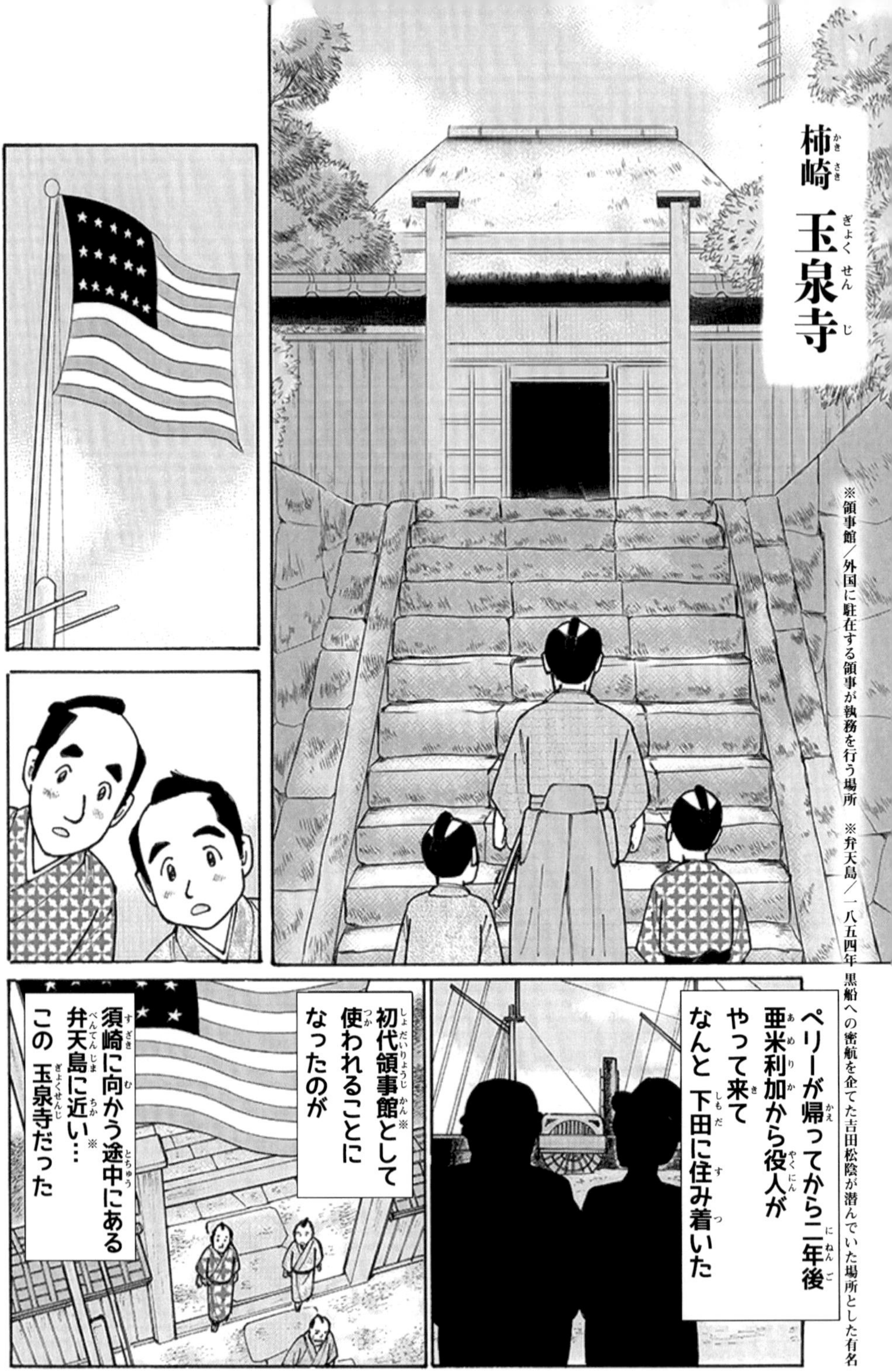

柿崎 玉泉寺

※領事館／外国に駐在する領事が執務を行う場所

※弁天島／一八五四年 黒船への密航を企てた吉田松陰が潜んでいた場所とした有名

※助蔵と瀧蔵の玉泉寺出仕／記録によると二人は奉行所調役の脇屋卯三郎と通訳の森山多吉郎に付き添われて領事館に出仕しているが 下田奉行所から一緒だったかどうかは定かではない

ヌ
ッ
これがハリスとヒュースケンとの出会いさ
わな
わな
この日からオイラたちは異人の小間使いになったんだ
帰りてぇよぅ～
ダーメ

助蔵こぼれ話　その一

助蔵の宝物

　プロローグで助蔵が取り出して見せたコイン。御子孫のお宅で実物を見せていただいた時には、外務省の茶封筒に入っていました。

　その時にはどういった物なのか、まったくわかりませんでしたが、撮影させていただいた写真を元に後で調べてみると、間違いなく幕末に作られたものであることがわかりました。

　この通称メキシコドルは、メキシコを中心にラテンアメリカ各国で鋳造されたもの。価値が共有化できる銀を含んでいたので発行国以外でも用いられ、貿易銀としてスペインなどヨーロッパ諸国、中国など東アジア諸国にも大量に流通していたようです。

　日本でも本格的な貿易がはじまった際に用いられましたが、外国人大使らによる過剰な両替によって日本製一分銀の流出が問題となりました。国内の銀がなくなると経済活動に支障が生じてしまいます。

　そこで、ハリスの提案により、このメキシコ銀貨に「改三分定銀（あらためさんぶさだぎん）」と刻印し、国内でも、このまま流通できるようにしたのです。

　ところが結果的に刻印されたメキシコ銀貨は国内では受け入れられず、わずか半年で刻印製造は打ち切られてしまいました。そのため現存する枚数も少なく、現在は大変貴重なものとなっています。まして、この一枚は助蔵がハリスから直接もらったという逸話つきですから、その価値は計り知れません。

「唐人お吉」の研究で知られる下田の郷土史家、村松春水の著書「實話唐人お吉」（昭和五年／一九三〇年発刊）の口絵にも、このコインの写真が掲載されています。

上の写真は実物を撮影したもの
右は「實話唐人お吉」の口絵（なぜか逆さま）
当時の米貨と説明されているが米貨ではなく
正しくはメキシコ銀貨

Episode 2
安政のバレンタイン
安政三年（一八五六）
——夏
玉泉寺…いや
アメリカ領事館の
仕事は　星条旗を
揚げることから
はじまる
カラコッ
タタタ…

※給仕／雑用を行う世話係のこと　現在ホテルなどでコンシェルジュといわれているサービス係の仕事に近い

ガーー
ガーー
すぅーー…
おはようございます！
OH!
ドタッ
ゴッン！
No,No,Say Good morning!
ぐっもーにん！
Don't tell the boss I overslept.
寝坊したことは領事には内緒だぞ
Oops!
おっとっと！
ドスン！
異人も同じ人間だってことは 三日もしないうちにわかったよ

Good morning, Consul General.
おはようございます
領事閣下
You're an early bird, Mr. Heusken.
ヒュースケン君
今朝も早起きだな
That's me, sir!
もちろん
ですとも！
ヒュースケは
まるで友達のように
接してくれた

It's so tranquil here.
実に美しい…
Sometimes I wonder if our arrival was a good thing.
この平和な農村を見ていると
我々が来日したことが
彼らにとって はたして
良いことなのかどうか…
考えさせられることがある

Japan must change.
しかし
現在の国際情勢
において開国
は必要です
Japan was fortunate...
もし我々以外の
国が来れば…
...that we got here first.
日本は不幸に
なるでしょう

You're right!
その通りだ！

We must guide Japan out of its isolation.
我々がこの日本を
国際社会にリードして
いかなくてはならん

Stop pulling my leg!

君たちは交渉を進める気があるのかね ?!

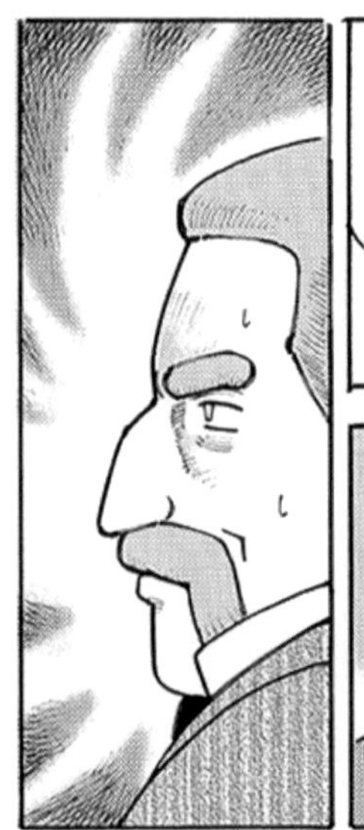

※英語をオランダ語に訳し オランダ語ができる日本の通訳と会話していた

※ハリスの持病／末っ子（六男）のハリスは大変なお母さんっ子だった その母を亡くした際 酒を飲みすぎて胃炎となったが その後、敬虔なクリスチャンとなり生活を改めている

ここへ来て
十ヶ月くらいたった
…朝だったよ
安政四年（一八五七）—初夏
前の晩 駕籠が着いたことに
気づいてはいたけど…
どうせ お役人だろうと思ってた
ふぁ〜…

※ワチキ／江戸時代の芸者や遊女、町娘などが自分を呼ぶときに使った言葉

まぁ
可愛らしい足軽さんだこと
ごくろうさまね
これ
アンタにあげるわ
何だこりゃ
?
いいから食べてみて

にがぁ〜っ
何じゃこりゃあぁぁぁ！
※この時代の固形チョコレートは滋養強壮（じようきょうそう）のための食品 甘みはなく にがかった
プ——ッ
あっはっはっ
はっはっ
チョコ…
チ・ヨ・コ
ちよ？おまえの名か
笑いすぎじゃ！
違う違う この西洋菓子よ
西洋菓子？
コン四郎さんがくれた 体にはいいらしいわ
コン四郎…って
コンセル様にむかって…

※戸籍簿に残されているお吉の本名は平仮名の「きち」漢字の「吉」は芸者時代にお座敷で使ったといわれている

チュン
チュ…ン…
コンセルたちの世話に明け暮れていたオイラたちにとって…お吉が来るようになったことは かなり刺激的な出来事だったよ※
※お吉から一週間遅れて 同世代のお福（ふく）も玉泉寺へ奉公に上がるようになる
瀧蔵は何としても西洋菓子を食うんだって張り切っちまうし…
そしてオイラは…

おや
今日は お二人さんかい
ああ
いいさ お待ち
オレにも 西洋菓子 くれっ！
ガツ ガツ ガツ
ガツ
ん！
うう うっ！
プッ
ニヤ
ニヤ

うめ〜!
はた
はた
それからオイラと瀧蔵は
毎朝 お吉に
菓子をもらいに行った

あら
今日も来たの！
早く！
早くくれ！！
またかい…

あっかん
べー
なんだ!くれんのか
きゃっ
な…
待てっ!
おいっ!瀧蔵!

ドドド
ザ
おじさん助けて！
さっ
アンだぁ…朝っぱらから
足軽が若いおなご追っかけてぇ
オメっち何やってんだぁ？
カッ
え…
い…

ゴーン！！
ゴーン！！

イダッ…！
イダダ…！

いっ！た…そ…
今だから白状すらぁ
これがオイラの初恋さ
なぁに…安政時代の
甘酸っぱい思い出よ…

助蔵こぼれ話 その二

チョコレートを食べた最初の日本人は？

「或時（お吉と）石段の下で逢ふと、チョコレートをくれた。それから滝蔵と相談して毎朝早起きして、まちぶせしては菓子を貰ったが、だんだんくれしぶって、しまいにはくれぬ。手を出してくれくれといふと、お吉のやつがアカンベエをした。滝蔵と二人で竹箒を持って追かけ、畑のところまで追いつめた時、脇谷さんだったかが来て、ひどく叱られたことがあった」（原文のまま）

この助蔵の談話は、村松春水著「實話 唐人お吉」に紹介されています。漫画はこの話から構成したものです。

「實話 唐人お吉」が出版された昭和五年（一九三〇）当時には気づく者はいなかったようですが、ここで改めてチョコレートの歴史を調べてみると…。

チョコレートは最初は飲み物として長崎に伝わっています。それが私たちにも馴染みのある固形化されたのは一八四七年になってからのこと。

そして明治初期の一八七三年に、岩倉具視率いる欧州視察団がフランスの工場に立ち寄った際、日本人として初めて固形チョコを食べた…と現在まで言われ続けています。

お吉が玉泉寺に通っていたのは安政四年（一八五七）であることは古文書から明らかになっていますから、助蔵が語ったこのエピソードは、岩倉具視が固形チョコレートを食べる十六年も前の話です。

助蔵の話通りなら…日本人で初めて固形チョコレを口にしたのは岩倉具視ではなく、ハリスからチョコレートをもらったお吉で、食べた場所は、下田の玉泉寺。そして日本人で初めて女性からチョコレートを贈られたのは…助蔵だということになります。

て五六度でやめた、あとはお福と毎晩来ては朝早く歸る、或時石段の下で逢ふと、チョコレートをくれた、それから瀧藏と相談して毎朝早起して、まちぶせをしては菓子を貰つたが、だん〳〵くれしぶつて、しまひにはくれぬ、手を出してくれ〳〵といふと、お吉のやつがアカンベイをした、瀧藏と二人で竹箒を持つて追かけ、畑のとこで追つめた時、脇谷さんだつたかゞ來て、ひどく叱られたことがあつた。（北條車谷氏等が助藏老人から直接に聴くところ）

「實話唐人お吉」に掲載された助蔵の談話には、はっきり「チョコレート」と記されている

Episode 3 江戸へ

安政四年（一八五七）——秋

I've been waiting for this moment!
この時を待っておりましたぞ

※当時 日本人男性の平均身長が一五五センチ程度だったのに対し ハリスの身長は約一八〇センチもあり 大人と子供ほどの差だった

ヒュースケのやつ
ずいぶん
日本語がうまく
なりやがったな
下田に来て
もう一年以上に
なるからなぁ
An audience with the Shogun, Mr. Heusken!
ついに将軍との面会だ
ヒュースケン君
Yes, Consul General
はい
総領事

オイ
助蔵
櫻田様!

まだ拙者も
詳しく聞かされて
おらんが…

近く
領事館も

下田から江戸へ
移されることに
なるだろうな

やったぁ〜!
コンセルたちが下田を出れば
オレたちもや〜っとウチに帰れるな
ガタ…
ガタン…

Hi!
コンバンワ〜
スケ！タキ！
オキテ イテ ヨカッタ
ヒュースケ
コレ カスヨ
コレカラ ヒツヨウニ ナル モノダ

エイゴ
ベンキョウ
ナサイ
デハ…
Good night
おやすみ
Good night. Say it
グッドナイトと言いなさい
ぐーない
OK!

オイラたちも江戸に連れてくってことだ！

パカッ
Can't move!
きゅうくつだな
コンセル ハリス殿
ごしゅった〜っ!
パカッ

※ハリスはお付きの人々にイーグル（ワシ）をかたどったアメリカの国章付きの紋付羽織などを作って着せた

助蔵…！
すけに…

すけにぃ
がんばれ〜
がんばれ〜!

いってらっしゃい
天城を越えて江戸まで一週間も歩いて行ったんだ

助蔵こぼれ話 その三

助蔵の兄弟たち

西山家に伝わる話と家系図から、第五代当主である助蔵は男ばかり四人兄弟の長男だと思われてきました。実はその家系図が墓誌であることに気づいたのは、しばらく経ってからのこと。家系図ではなく、西山家先祖代々のお墓に眠っている方の名簿でした。

そこで改めて着目したのが、嘉永二年（一八五〇）に亡くなっている「四代長女ハナ」です。四代といえば助蔵の両親ですから、ハナは助蔵の姉か妹に当たるはずです。助蔵には女姉弟もいたのです。

あいにく、ハナが何歳で亡くなったのかは記されていませんが、戒名は「運順童女」となっています。調べてみると「童女」は、宗教を問わず通常四歳から十四歳までの少女につけられることから、乳飲み子ではありません。助蔵が八歳の時に亡くなっているので、亡くなった年齢が四歳から七歳であれば助蔵の「妹」。九歳から十四歳であれば助蔵の「姉」ということになります。

私は姉だったのではないかと思っています。

玉泉寺で初めてお吉に会った時、本当はひとつしか年が変わらないお吉を年上だと感じたのは、もちろん芸者だったお吉が大人びていたせいもあるとは思いますが、ひょっとしたら真っ先に亡くなった姉を思い出したのではないでしょうか。

また、嫁いだために西山家の墓誌には載ることのなかった妹もいたようです。

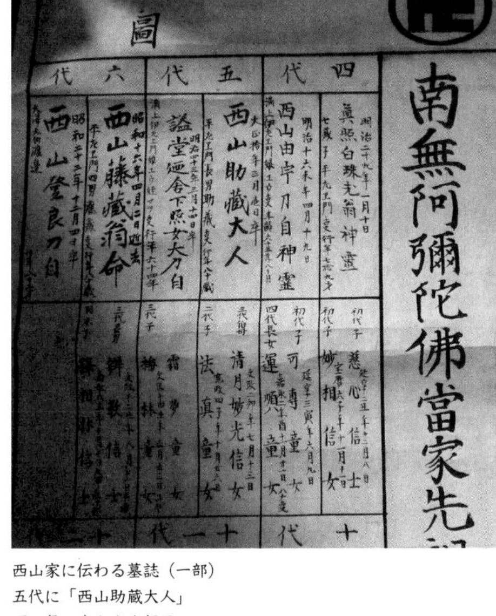

西山家に伝わる墓誌（一部）
五代に「西山助蔵大人」
下の段の左から４行目に
「四代長女 運順童女」と記されている
2020年現在、西山家は九代目となっている

安政四年(一八五七)——晩秋

Episode 4

船出

第十三代 将軍徳川家定との謁見※を果たすとハリスはますます忙しくなった

※謁見(えっけん)/位の高い人にお目にかかること

安政五年（一八五八）
日米修好通商条約 締結

※日米修好通商条約／一八五四年にペリーが締結した「日米和親条約」は日本からアメリカ船に食料や水を提供させるためのもの 一方 ハリスが締結したこの条約は貿易を行うためのもの

安政六年（一八五九）——春

Let's go!

この頃になると
もう黒船に乗るのも
珍しくなかったよ
Starboard!
Starboard!
この時の旅は
二ヶ月と…長かった

箱館※ 長崎…
そして
初めての異国
香港を巡る
視察旅行だ

※現在は「函館」と書きますが明治のはじめまでは「箱館」と書いていました

もっとも香港じゃ
オイラたちには
上陸許可が
下りなかったから
眺めただけ…

Ben ick van～♪
Duytschen bloet～♪
♪我はオランダの由緒正しき血筋
♪～
ヒュースケ歌上手だね

僕ノ国ノ歌
ネザーランドノ
歌ネ

ネザーランド？

ポルトガル語デ…
オランダネ
オランダ？
アメリカじゃないの？

僕アメリカニ
イッテ
アメリカ人ニ
ナッタヨ

ウマレタ国トテモ
マズシカッタ

食ベテイケル
仕事欲シクテ
ウマレタ国ヲ
捨テタ…
……
ソウダ！
スケ！

デモ 言葉
タクサン勉強シタ

オカゲデ
コノ通リサ

アハハハ
あはは。。

オイラの中で
何かが変わった…
ヒュースケは 本当に
兄貴のようだったよ

助蔵こぼれ話　その四

開国港　下田と横浜

下田にあるペリー艦隊来航記念碑
「まんが安直楼始末記」より

下田へ行くと「開国港」と書かれた看板が目にとまります。確かに下田はペリー率いる黒船来航によって開かれた港。ペリーの上陸碑もあります。

しかし、ペリーの上陸碑は横浜にも久里浜にも、そして沖縄にもあります。ここで改めて、その経緯を簡単におさらいしましょう。

一八五三年、ペリー率いる黒船艦隊は日本に開国を迫るため、三浦半島の浦賀に姿を現します。

よく日本は鎖国していた…と言われますが、正確にいえば長崎に出島を築き、そこで中国やオランダと長い間、貿易を続けていました。幕府体制にとって都合のいい国とだけ付き合いをしていたわけです。

不都合な国だったアメリカが開国を要求してきた理由は、日本を自国の船の補給基地にしたかったから。当時は鯨油が活用されていたので遠征して来た捕鯨船に水や食料を補給する必要がありました。

幕府は仕方なくペリーを久里浜へ上陸させ、そこで大統領の親書を受け取ります。しかし、時の将軍が病気であることを理由に、その返事を一年先まで延ばします。

そこで一旦はおとなしく引き下がったペリーですが…。この時、アメリカまでは引き返していませんでした。琉球王国＝沖縄で待機していたのです。

沖縄で将軍の訃報を知ったペリーは、その混乱に乗じて開国を迫ろうと半年後に再び日本へ。こうして一八五四年に横浜で日米和親条約が結ばれました。

条約締結後、即時開港したのは江戸から離れた伊豆の南端に位置する下田でした。

ペリー来航から二年後、初の駐日総領事ハリスが下田へ赴任します。本格的な貿易を行うために日米通商修好条約を締結させると、より江戸に近い神奈川に港を開くことが決まり、横浜が国際港として造成されることになりました。

いわば下田は横浜の前身だった町といえます。横浜開港当初、異人を怖がって横浜で働くことを拒む者が多い中、異人慣れした下田人は積極的に横浜へ移り住み、開港直後の横浜を盛り立てました。

Episode 5
助蔵の単語帳
安政六年（一八五九）―春
ただいまらー！
助蔵 十七歳
助蔵っ！ よう帰った
すけにぃ おかえり～

この鞄は
長崎で買ったもんさ
異人さんの
ようだのう
パチン!
お—っ
みやげの
ザボン
珍しかろ?
ほ〜〜〜っ!
でか
ほ〜〜〜っ!!

下田富士とも
しばらく
お別れか…

オイラこれから
江戸で働くことに
なったんだ

えっ
!?

お国の大事な仕事だ…仕方ねぇ
せっかくの種だ 大切に埋めてやろう
すけにぃ ザボンの実なるかな？
うん きっと実るさ

安政六年（一八五九）―― 初夏
麻布山 善福寺

Alright, everyone! Let's get to work
さぁ諸君！新しい仕事をはじめよう

Yes, Envoy Harris
はい ハリス公使

江戸での生活がはじまった

日米通商修好条約を締結させたハリスは領事から公使に昇格して大喜びだ

オイラたちの仕事は
ハーーッ

変わらないけどな

近くに いろんな国の
領事館もできた

ハリスは異人たちの
リーダーになっていた

パカッ
パカッ
パカッ

馬はおやめくだされ危のうござる
I don't understand
言葉がわかりませーん

おい通じんのか？

この程度の日本語はわかるだろうに

ヒュースケ
馬は目立つから
駕籠で行けってよ
ヘーキ
ヘーキ
日本人ミナ
トモダチ
心配ナイ
ヒヒーン
パカッ
パカッ
パカッ
パカッ
お待ち
くだされ！

ヒュースケ遅いなぁ…

まったくオイラたちも休めやしねぇ

ゴクロー

ビクッ

I hope all is well...
何事もなければよいが…
ドンドンドン
バタバタ
バタバタ
バタバタ
ドンドン
ヒュースケン殿がやられた!

攘夷派※の仕業です

※尊皇攘夷（そんのうじょうい）／君主を尊ぶ思想で一部には外国人を敵とみなす過激派もいました

What happened?!
何ということだ…

瀧蔵　水を！
わかった
だから いった じゃんかよぅ…
ス スケ…

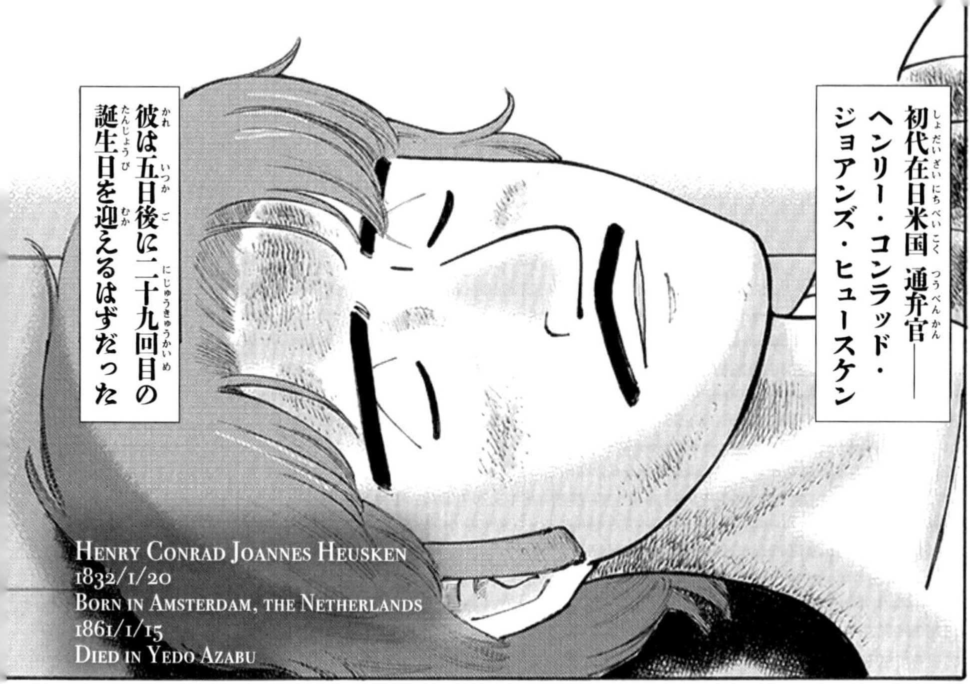

初代在日米国 通弁官――
ヘンリー・コンラッド・
ジョアンズ・ヒュースケン

彼は五日後に二十九回目の
誕生日を迎えるはずだった

HENRY CONRAD JOANNES HEUSKEN
1832/1/20
BORN IN AMSTERDAM, THE NETHERLANDS
1861/1/15
DIED IN YEDO AZABU

The Shogunate will send a reward to Heusken's mother for his services
ヒュースケン君の母君のもとへ
幕府からの慰労金を
送ることになった

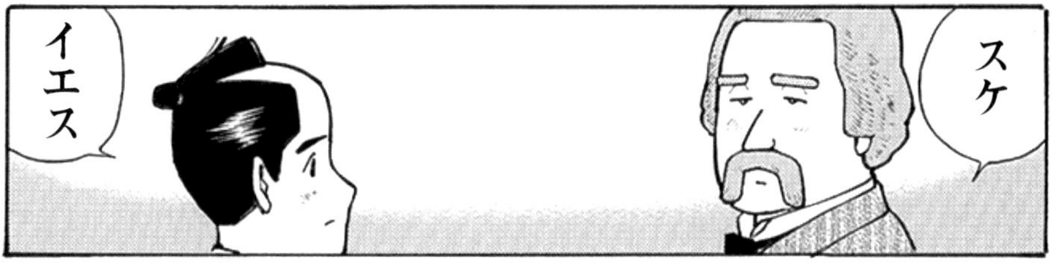

スケ

イエス

Will you pack
his belongings?
彼の遺品を一緒に
送りたいと思う
整理してくれないか

Yes,sir.
はい

We should return
them to his mother
私の言っていることが
わかるかね？

ガラッ
どうした助蔵（すけぞう）？
あった！
そりゃヒュースケの
298
A petticoat
A dallying
A promontory
An enemy
Hostile
A handkerchief
Opposition
A blister
A disciple
A hand candlestick
Heaven
An imperial city
Pity
A rib
こいつも返さ（かえ）なきゃならん…

…テテラ？
何だこりゃ？
ああ！
こりゃテテラじゃなく
どてらのことかい

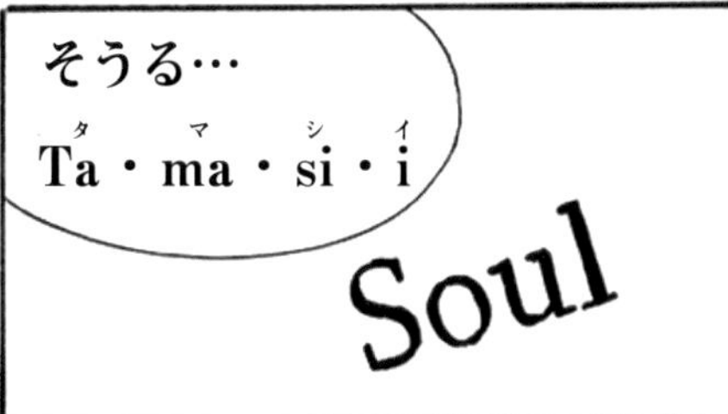
そうる…
Ta・ma・si・i
Soul

…魂

スケ
勉強 ススンデ
マスカ？

ポタッ
ポタッ
ヒュー
スケ…

何かに熱中してないと
悲しさばかりこみあげ
ちまって まともに
動くことすらできねぇ
だから 必死になって
書き写したんだ

Thank you
for doing this
よくやってくれた
ありがとう

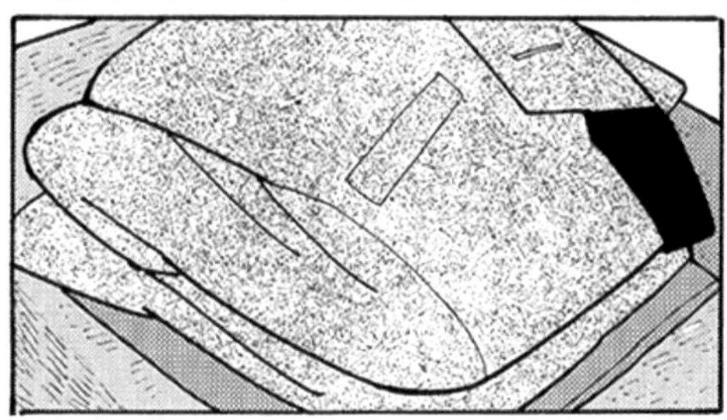

Wait, SUKE
スケ
待ちなさい

Heusken left
this coat for you
このコートは
君に…

Thank you... Thank you so much, Heuske!
ありがとう ありがとう ヒュースケ

初代駐日米国公使
タウンゼント・ハリスが
帰国の途に着いたのは
…その翌年の春だった

助蔵こぼれ話 その五

ヒュースケンは左利きだったかも？

助蔵が下田に持ち帰ったヒュースケンのコートは、その後、長い間、西山家の鴨居に普段着同然で吊されていたそうですが、現在は下田開国博物館に収蔵されています。今回の漫画を制作するにあたり、所有者である西山家の許可を得、また博物館ご協力のもと、詳しく見せていただきました。

するとコートだけでなく、何とおそろいのズボンもありました。サイズを測らせていただいたところ、ウエストは七十五センチ、股下は八十センチ。コートは、かなり使い込んだ感じですが、ズボンの方は驚くほど劣化していません。丈が合わずに、しまい込んだままになっていたことがうかがわれます。

上衿の色が異なるのは別素材のベルベットがあしらわれているからで、イギリスのチェスターフィールド伯爵が愛用したことから、チェスターフィールドコートと呼ぶそうです。ハリスの肖像写真にもチェスターフィールドコートを着たものがあります。

また、コートは内ポケットは右胸だけに付けられていました。左胸に付いていた方が、右手はサッと入り易いはずです。ひょっとするとヒュースケンは左利きだったのでしょうか？

ただ、コートを重ね合わせると、取り出しやすい左胸にポケットがあるより、取り出しにくい右胸にあった方が、財布などをすられにくいから…という説もあるようで、今のところハッキリしていません。

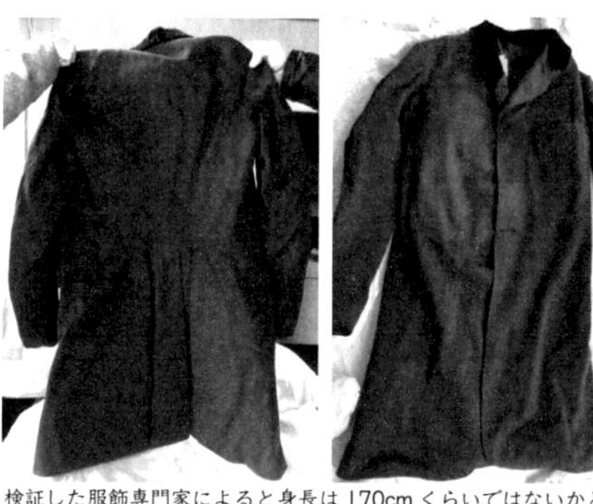

検証した服飾専門家によると身長は170cmくらいではないかとのこと

チャックはない時代なので
ズボンの前はボタン式

内ポケットは片側だけ
左利き用か？それともスリ防止か？

［下田開国博物館所蔵］

Episode 6

下田の浦島太郎

明治三年（一八七〇）
麻布 光林寺

※光林寺／公使館が置かれていた善福寺から二キロほど離れた場所にある　ハリスはヒュースケンを善福寺に埋葬したかったが土葬の許可が下りなかったため　近くの光林寺を墓所にしたという

助蔵 二十八歳

SACRED
to the Memory of
HENRY C J HEUSKEN
Interpreter to the
AMERICAN LECATION
BORN AT AMSTERD
DIED AT YEDO

ヘンリー・ヒュースケン
1832〜1861

※ロバート・プルイン／エイブラハム・リンカーン大統領に任命されたが 幕府との折り合いが悪く 病気を理由に帰国 体面を保つために助蔵と瀧蔵を連れて行くことを思いついた可能性もある

行くことができたのは瀧蔵だけ

理由は簡単…
オイラは跡取り息子だからな

万が一のことがあったら 西山家がつぶれちまう…って
猛反対をくったわけ

ちょうど一年くらいして

瀧蔵は三代目公使を連れ無事 戻って来た

瀧蔵おかえり!

オイラも ヒュースケと 同じ歳になったよ

ヒュースケと同じ歳まで アメリカ人に仕えたんだ

SACRED
to the Memory of
HENRY C J HEUSKEN
Interpriten to the
AMERICAN LEGATION
in Japan

…もう いいよな

この船はアメリカには行かないかい?
何をおっしゃる
伊豆まわりでさぁ
オイラが乗れるのは下田行きの船だけさ
知ってるよ

瀧蔵は帰国後
すぐに嫁をもらって
善福寺は出たけど
公使館の仕事は
続けていた

四代目の
デロング公使が
落ち着いた頃…
オイラは退官した

オイラの運命を
大きく変えた
下田奉行所は
もう　跡形もない

国際港は　とうに
横濱へ移されて…

ピ
ヒョロロ〜〜
下田は 静かな
田舎町に戻ってた
じっちゃんも
ばっちゃんも
助蔵が立派になって
きっと喜んでる
本当に
立派だよ
ホレ
藤蔵
兄さまに
挨拶せんか

藤蔵
よろしくな

藤蔵は
オイラが江戸…
いや東京にいる
間に生まれた
末の弟だ

すけにー!!

がんばれ～

がんばれ～

間にいた
二人の弟は
養子に出て※
もう…いない

わははは。

※この当時 跡取り（長男）以外の男児が 跡取りのいない家へ養子に出されることは当たり前の風習だった

本家も跡取りが無事戻ってまず安泰だの
わはっはっ
はっはっ。。
次は嫁取りだね
あのおばさんいったい誰だ?
西山家に
かんぱーーい!!

あはは…
どんちゃん…

すけにぃ…
ザボンの実なるかな？

あの時のザボンだよ
やっぱり！
それで？実はなったかい？
そりゃあ立派なのがたっくさん！
そうか！そうか！
きっと実るさ

Did it taste good?
おいしかった？

えっ？

いや…

酒

ゆうさーん
サケーっ！

あっ

はい…

あん時のオイラは
まるで浦島太郎の
気分だったよ…

助蔵こぼれ話 その六

助蔵と瀧蔵は同級生か一つ違いか？

実は助蔵と瀧蔵の年齢については諸説あります。もっとも多いのは、瀧蔵の方が助蔵より一つ年上だった…というもの。それというのも、二人が玉泉寺に行かされた安政三年（一八五六）八月十七日（新暦九月）の時点で、瀧蔵が満十四歳、助蔵が満十三歳だったからです。この年齢についても数え年で説明されているものなどがあり、今ひとつハッキリしません。

亡くなった日については墓誌で知ることができますが、戸籍制度もない江戸時代に生まれているため、誕生日がはっきりしないのです。

私は助蔵と瀧蔵は同じ年＝同級生だったのではないか…と考えています。

その根拠のひとつは、拙著「唐人お吉を作った男たち」に掲載させていただいた瀧蔵がアメリカ公使館の退官記念で撮影したのではないかと推察できるアメリカ合衆国の国籍マーク入りの紋付きを着た肖像写真です。この写真の撮影時期に関する詳しい資料はありませんが、写真台紙に印刷されている写真館と写真師の名前から、明治二十四年（一八九一）の暮れ以降であることはわかりました。

退官した年齢も実は定かではないのですが、瀧蔵は五十一歳の時にオーストリア大使の接待役をして勲章を受けています。アメリカ公使館引退後のことでしょうから退官したのは、それより以前、ちょうど五十歳の時だと考えてもいいでしょう。

瀧蔵の誕生日を一月から夏までの間、助蔵の誕生日を夏以降だったと仮定すると…。瀧蔵が五十歳で写真を撮ったのは明治二十五年（一八九二）の一月から夏までの間。一方、玉泉寺に行ったのは誕生日後なので助蔵より一つ年上だった。そうすると一応、計算は合います。

助蔵の誕生日については御子孫の記述によって、やはり夏以降…九月八日（新暦十月十一日）だったことがわかりました。ただ、玉泉寺に行った時の記録が本当に満年齢だったのかどうか…？

もっとも、たとえ同級生であろうが、そうでなかろうが…二人の友情に変わりはありませんけどね。

Episode 7
助蔵の結婚
じゃあ…行ってくら
また山かい？
また…って
畑は父ちゃんや藤蔵がやってるし
どうせオイラにゃ畑仕事なんてできんしな
……

※柳生（やんぎょう）／伊豆急線と平行して走る国道四一四号線にある「柳生入口」交差点から 伊豆急線のガードをくぐった先にある山林

どうしたものやら…
助蔵のことか
奴もいい歳だ嫁をとらせにゃ
女房を持ちゃあブラブラしておれんだろ
それなら…
アタシにお任せよ
大地主の嫁にふさわしい
たくましい娘紹介すっから

※祝言（しゅうげん）／結婚 婚礼の儀式のこと

嫁にもらったマツは
奉行所の裏門近くに
住んでいた娘で…

それはそれは
たくましそうな
嫁だった

助蔵さん朝ごはんできたわよ

父ちゃんや藤蔵は？

とっくに畑へ出たわ

はい

※麦飯（むぎめし）／大麦などの麦だけ あるいは米と混ぜて炊いたご飯

明治六年（一八七三）
娘のとくが生まれて
オイラも父親になった
ボリ
ボリ
バサ
バサ
徴兵令施行
！

※徴兵制（ちょうへいせい）／男子に負わされた兵役義務　日本では当初　跡取りとなる長男は対象から除外されていたが　その後の改正で　すべての男子が対象となった

何を言い出すんだ！助蔵！

けど徴兵制※になったら藤蔵は兵隊に出さなきゃならん

お前が
歳の離れた弟を思う
気持ちは よくわかる

けど マツにだって
次は男の子が
生まれるかもしれん

そうだよ
助蔵
マツのことも
考えておやり

マツは…

マツは…

裏門※へ帰すよ

※裏門／マツの実家がある地域の通称

罪があるのはオイラの方だ…

オイラさえ帰って来なければ…

助蔵おまえ何を言うの！

バチ当たりなこと言うじゃねぇ！

英語なんか話せたって
ここじゃ役立たずだ！

アメリカにも行かずに…帰って来たんだぞ！この下田に！
いったい何のために帰って来たんだよー！

数年後——

オイラの長男になった藤蔵はよく働いてくれた

まるでオイラがハリスやヒュースケのために働いたみたいに…

人生 正しいから回ってるわけじゃない

親と子…男と女の関係は…とくに…な

助蔵こぼれ話　その七

お吉にも二人の養子がいた

養子縁組とは、通常、血縁に関係のない子を自分の子とし、実子と同じように相続などの権利を持たせることができる制度。その歴史は古く、古代ローマ時代からあったといいます。

さて、助蔵の初恋の人…お吉は「唐人お吉」物語のモデルとして有名ですが、一般に知られている物語はフィクションであり、真実ではありません。

斎藤きちの実像については、「まんが安直楼始末記」でご紹介させていただきました。

お吉にも養女として育った経験があります。日本に貧しい家庭が多かった時代には、自分が育てるより、お金持ちにもらわれた方が、その子のためになるという親心は一般的なものでした。そのおかげでお吉も芸ごとを身につけ、下田一の芸者といわれるまでになったのです。

お吉は四十歳を過ぎた頃、病気によって次々と家族を亡くしてしまいます。そこで、父親が築いた斎藤家と、育ての親である村山家の財産を継承するために、二人の養子をもらっています。

親子三人となったお吉が暮らしていたのは、雇われ女将として働いていた安直楼です。本格的な戸籍制度が施行されてから、十年以上経った明治十五年（一八八二）以降のことで、お吉と二人の子、安吉とせんの名が記された戸籍簿が残っています。

大昔から「家を継ぐ」ことは、大きな使命として考えられてきました。その考え方の善し悪しは別としても、今私たちがこうして生きているのは、祖先たちがそうした思いをもって努力してくれたおかげだということは間違いありません。

「唐人お吉の真実〜まんが安直楼始末記」より
原作シナリオ／杉本 武
漫画／荒木浩之
プロデュース／剣名プロダクション
長倉書店 刊　ISBN978-4-88850-059-3

お父さん
ハイ
お茶

Nothing is sweeter than tea served by a young bride
新妻の煎れた茶は旨い

はぁ？
藤蔵が嫁をもらった

トラ 行って来るよ

Episode 8
傾城塚綺譚※
明治二十三年（一八九〇）三月

※綺譚（きたん）／美しい物語

※高馬（たこうま）／下田の町中から稲生沢川に沿って上った場所 助蔵が住む中村からは川を挟んだ対岸になる 旧下田街道があった細い山道が今も残る

※満昌ヶ淵（まんじょうがふち）／現在の下田市河内付近　バス停「志戸橋」のあたり　かつて豪雨の度に川があふれたため犠牲者を弔う地蔵が今も残っている

※安直楼（あんちょくろう）／お吉が明治十五年（一八八二）から十七年（一八八四）にかけて女将をしていた小料理屋 詳しくは「まんが安直楼始末記」（原作シナリオ＝杉本武／漫画＝荒木浩之）

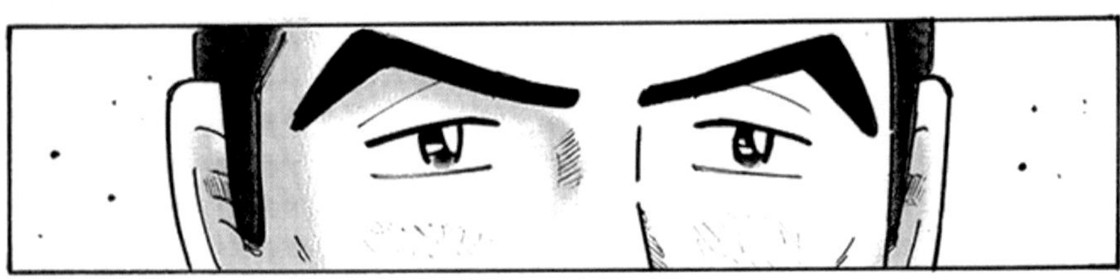

本当に
おまえなのか
…お吉

おまえが
下田に戻ってる
ことは知っていた
その後
つらい暮らし※をしてたこともな…
でも…
※お吉は 四十六歳頃 中気（脳卒中の後遺症）となり 半身が不自由だった

おまえは
勝ち気な性分
だったからなぁ…
昔の仲間に
つらい姿を見られたく
ないだろう
…そう思って
とうとう ひと声も
かけられなかった
やっぱり
あの時…

知り人
だったけぇ？
ちょっとした
昔馴染みでね
ハハ

あんた
川向こうの
アメリカ
帰りの？
ああ
…いや

アメリカには
行ってねぇ…
わしゃ下田も
出たことねぇ

じゃあ あのでっけぇ石塔もあんたが？

いや こりゃあ古い宝篋印塔※で…

ひょっとすっとご先祖様が建てたかもしれんけど…

ここいらは昔っから傾城塚っていうんよ

けいせい？

※宝篋印塔（ほうきょういんとう）／墓塔・供養塔などに使われる仏塔の一種　下田市高馬にある宝篋印塔は室町時代に建立されたものだといわれている

※花街／芸者屋・料理屋・遊郭などが集まる繁華街 下田ではペリーロードがある旧 七軒町が花街だった ※佳人薄命／美人に生まれたが故に数奇な運命に遭い不幸になること 美人薄命ともいう

カッ
カッ
カッ
本当にこんな笑った顔でいいのかい？
フーッ

べ
あっかん
お吉は笑ってなきゃ

ホー
ホケキョ
ケキョケキョ
ケキョ
いい歌声だ
喜んでくれたかい？
ありがとうよ…お吉

助蔵こぼれ話 その八

傾城塚と不思議な縁

お吉の没後、二十一年が経った明治四十四年（一九一一）、静岡民友新聞（現 静岡新聞）に「訪ふ人もなき傾城塚の由来」という、稲生沢川で悲運の最期を遂げたお吉についての記事が掲載されています。

この記事の存在は、下田の郷土誌「下田帖」一九九二年四月発刊の二十八号に掲載されていた「斎藤きち外伝」で知りました。書かれたのは下田市立図書館の元館長で詩人の前田實先生。前田先生のおかげで「傾城塚」の研究をはじめることができました。

静岡民友新聞の記事から半年後、お吉は初めて新聞小説に登場しています。その小説は、大正二年（一九一三）に「薔薇娘」というタイトルで書籍化されました。そこには何と西山助蔵も登場しています。

小説の最終章は、「唐人お吉の墓」。そこには「傾城塚」に助蔵がお吉の慰霊碑を建立したことが書かれています。「薔薇娘」の物語自体は荒唐無稽な内容ですが、助蔵が健在な時に出版されていますから、著者の信田葛葉（のぶたくずは）も、助蔵の話について、いいかげんなことは書けなかったでしょう。

もうひとつの大きな発見は、高馬（たこうま）の「傾城塚」に着物姿の石仏を見つけたことです。「傾城塚」と言われる一帯には、いくつかの墓石や地蔵が建っていて、どれがお吉を慰霊したものなのか、はっきりしたことはわかりません。けれど、この石仏と出会った日から、今日まで不思議な縁が続いていることは確かです。「傾城塚」の由来についてご理解をいただいた地主さんのはからいで、現在は石仏を守る祠も建てられています。

祠が建った日が、実は新暦に直したお吉の誕生日だった…ということも偶然にしては出来過ぎでした。

2017年撮影
その後、祠が建てられたお吉の誕生日である毎年12月22日頃には有志による「傾城塚お吉慰霊祭」も開催されている

Episode 9
助蔵ばなし
明治三十七年（一九〇四）―秋
次衛！
かあちゃん
呼んで来い
おーい!!

よし よし

時の流れは早いもんだ…

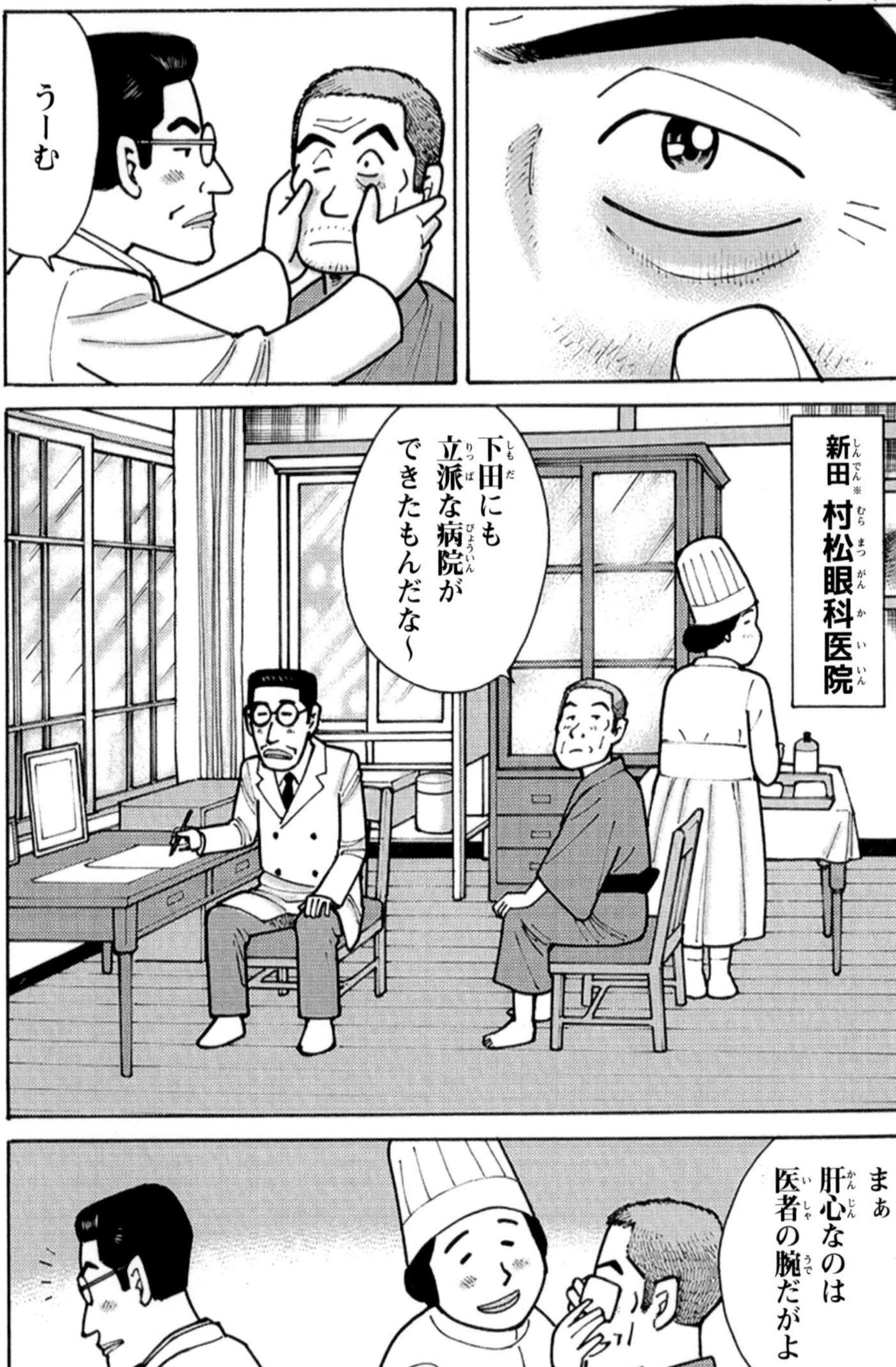

新田※ 村松眼科医院

下田にも立派な病院ができたもんだな～

※新田（しんでん）／三島を起点とする下田街道の終着点に位置し 町の中心になっていた場所

※伊那県（いなけん）／明治政府によって設置されていた県　現在の長野県と愛知県東部あたり

パン
パン

おーい
ガッ
わっ
あぶねえ！
おっ
とっ
とっ
とっ

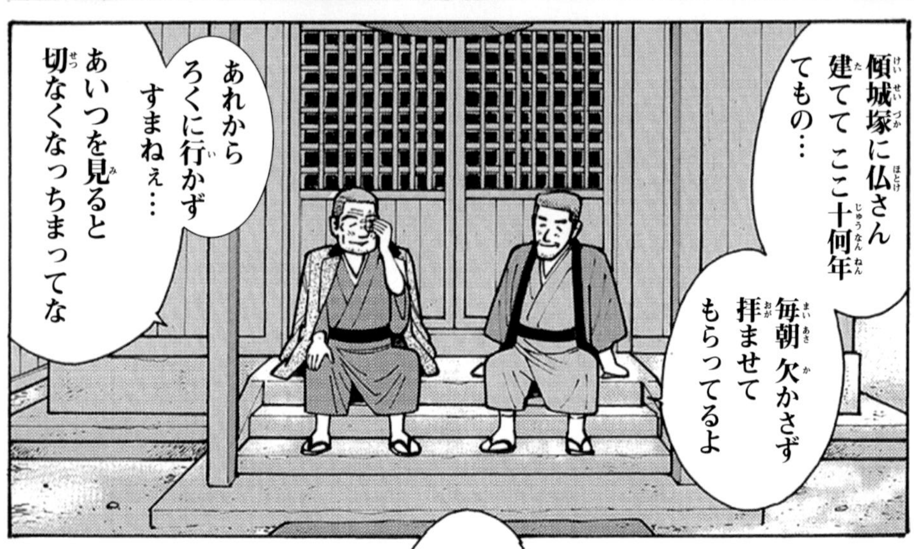

※Consul＝領事／外国に駐在して自国の通商などにつとめる役人

稲生沢川で死んだ
…お吉さ

…それで？
続き聞かせろ

よし！
お吉の供養に聞かせてやらぁ

お吉ってのはそりゃあいい女でなぁ
へー
ほー

元は下田一の芸者
しかも度胸がいい
あのデッかくて厳格なハリスもかなわない
こっちの
おばちゃんのがデッかいか?
あ
肝っ玉の話よ

それからというもの…

娯楽のない連中がお吉の話を喜んで聞いてくれた…話をするのも楽しくて仕方ない

キョロ
キョロ
ちょっと
おたずねすっけど
このへんに
村松眼科ってのは
あるかい?
ああ
それなら
ウチです

眼の具合がお悪いんですかな?
いや よーく見えてる
?
おおー
ここだ! ここだ!

お吉ってのは
背のスラーッと高い
いい女でよ
初めて会った時にゃ
ず〜っと年上だと
思ったが…
ほーーっ
聞けば
ひとつしか
上じゃねぇんだ
あっはっはっはっ
まったく
女ってのは
異人より
わからねぇな

あら 先生
お帰りなさいまし

毎日毎日
何だあの騒ぎは
迷惑な！

西山さんのお話が
あんまり
面白いんですもの
宮本君
君も聞いたのか？

ええ…ハリスの
看護婦のお話に
興味があったし…

ハリスの
看護婦だって？

※伊佐新次郎は元下田奉行支配組頭　嫌がるお吉を説き伏せてハリスのもとへ行かせたというのは物語上のフィクション
あのジイさんが話してるお吉というのがハリスの看護婦なのか？
明治十八年(一八八五)頃──焼津の料亭
下田奉行だった伊佐新次郎先生に※若い頃 聞いた
ハリスに奉公した下田芸者がいたらしいという話は本当なのか

これだ！※
※お吉及びお福関係の古文書／玉泉寺官吏並通弁官召仕女江渡し金請取書綴込
お吉やお福が控えるための借家が近所にあってな
瀧蔵と一緒に領事館を抜け出しちゃあそこでよく遊んだもんだ
作り話もいいかげんにしてはどうかな
西山さん！

何だと？

人のいいみなさんが信じてしまうじゃないか

オイラは嘘なんてついてねぇぜ
私は古文書を調べたんだ

記録によればお吉は…
わずか三日しか玉泉寺に通ってないじゃないか！

これだから
頭でっかちは困る…
自分にとって
都合のいい結末から
モノを考えやがって
記録に残された
ものがすべてじゃ
ねぇんだよ
オイラの
ハートにゃ
ちゃんと…
お吉との
スイートメモリー
があるんだ
Hey you!
だいたい
おまえさん…

お吉に会ったこと
あんのかよ?!

ううっ…

いくら本をひっくり返したって
直接　会ってる奴には敵いっこねぇ
春水先生　かなり悔しかったろ…

その後も　ずいぶん
しつこく　お吉の研究を
していたらしいからな

助蔵こぼれ話　その九
郷土史家　村松春水の偉業

　村松春水は、大正から昭和初期に「唐人お吉」の研究によって、下田を日本全国に知らしめた郷土史家です。とはいえ下田生まれではなく、文久三年（一八六三）、維新の志士だった村松文三の次男として静岡焼津に生まれました。

　明治十二年（一八七九）から東都に遊学、物書きを志し、後に文豪として知られる幸田露伴などとも交友。後年、露伴が下田に春水を訪ね、二人で下田富士へ登った時の写真も残されています。

　明治二十年（一八八七）から静岡県東都成東病院の副院長を務めた春水は、明治二十九年（一八九六）、下田に移住し、三十三歳で眼科を開業します。そこに入院することになったのが晩年の助蔵でした。

　歴史を探る時には、誰が何をしたという「結果」だけでなく、その行動に駆り立てた「動機」を解明することを心がけるようにしています。

　もともと眼科医だった春水は何故、お吉について調べ、郷土史家にまでなったのでしょうか。その「動機」を紐解くことに挑戦したのがご紹介したエピソードです。実際にこうした直接対決の場面があったかどうかは目撃者もいないので正直わかりませんが…。たぶんこんなことがあったのではないかと感じさせる記述が春水の本には随所に見受けられます。助蔵が話した内容に対して、執拗に否定しているのです。

春水は、昭和二十七年（一九五二）、八十九歳で亡くなっている　下田公園 開国広場には春水の偉業を讃えたレリーフ付きの記念碑がある　「村松春水翁」と刻まれた説明文を書いたのは郷土誌「黒船」の盟友だった森斧水

　助蔵が主人公である本作において、春水は宿敵のような役回りになってしまいましたが、春水の研究成果がなければ、お吉にも助蔵にも出会うことはありませんでした。伝説の郷土誌「黒船」を作った名士、森斧水（ふすい）と並び、もっとも貴重な資料を残してくれた大恩人です。

　この漫画を通して村松春水という名前が現代にも知れ渡り、興味を持つ若者が現れることを期待しています。

Episode 10
自慢の孫
大正二年(一九一三)
お父さん
待合室に
入りましょうよ
ふー…っ
NO!
ここで待つ

ボ

じいちゃん かあちゃん 只今帰りました

立派な家になったなぁ!

おじいちゃん建て替えたこの家をおまえに見せたくてね

※この頃 助蔵ばなしを基に書かれた娯楽小説「薔薇娘」（信田葛葉＝著）が発刊され その謝礼金が改築の元手につかわれた可能性もある

ほれみい
だから次衛にゃ船乗りがあっとると言ったら

それを医者にするなんて言いおって

克之丞！医者にはおまえがなってやれ
はははは
は…
ははははは

…商社？
次衛は商社に
就職すんのか？

ミスター助蔵も
ずいぶん耳が遠く
なったみたいだな※

※ミスター助蔵／孫たちは親しみを込めて助蔵のことを時折こう呼んだ

じいちゃん
おやすみ
ああ
久しぶりの我が家だ
次衛もよく休めよ

麻布の
善福寺にいた頃…

ハリスに英語を
教わりながら
奉公をしていた
役人の息子がいた
それが
益田 孝君だ

益田君は その後 ハリスに
教わった英語を武器に
世界初の総合商社…
三井物産を作ったと聞いた
次衛が働く会社の
ボスってわけだ

もっとも
益田君のボスは…
このオイラ
だったけどな

次衛
もう行くか…

じいちゃんに
外国の土産話が
できるのも
もうすぐさ

楽しみだ…
それまで元気で
いなけりゃな

次衛
そろそろ
行くか?
はい
父さん

そうだ!

次衛！
船のことを
聞きたかったんだ

船の？
どんなこと？

昔ハリスの
お供で黒船に
乗った時…

Starboard!

甲板で
スターボーとか…
ハードボーとか…
何とか叫んでてな

いったい
どんな意味なのか
いまだにわからん

※スターボードとポート/一九二八年に「海上における衝突の予防のための国際規則に関する条約」で統一されるまで 指示の内容は曖昧なところもあった

助蔵こぼれ話 その十
助蔵をめぐる歴史上の有名人たち

歴史物語の上ではまったく無名な西山助蔵ですが、助蔵のまわりには後世にその名を轟かせる有名人が数多くいました。

初代駐日アメリカ領事タウンゼント・ハリスや「唐人お吉」として知られることになる斎藤きちだけでなく、江戸に出てから善福寺で苦楽を共にしたのは、後に世界初の総合商社 三井物産を設立することになる益田孝でした。

「自叙益田孝翁伝」の中で、ハリスが客のために用意していた肉を公使館勤務の若い連中と一緒につまみ食いした思い出なども話しています。その仲間には、きっと助蔵や瀧蔵もいたに違いありません。

公使館勤務のエリートたちですから、腹が減って手をつけたわけではありません。成人男性の平均身長が一五〇センチくらいだった日本人は、肉を食べなければ西洋人のように大きく立派な体格になれないと考えたのです。それを察していたハリスは肉を食べたことにではなく、こっそり食べてしまったら客が来た時に困る…という理由で彼らを叱ったそうです。

もともと教育者だったハリスと日本の若者たちとの間柄を感じさせる面白いエピソードなので、ぜひ漫画にもしたかったのですが、構成の都合上、割愛せざるを得ませんでした。

「自叙益田孝翁伝」には、福沢諭吉が善福寺を訪れた時の話も出てきます。益田孝がお茶を運んだそうですが、それを運ばせたのは先輩の助蔵だったかもしれません。

このほかにも、幕末の横浜外国人居留地にやって来た写真家フェリーチェ・ベアトもヒュースケンの墓石を撮影するために訪れています。幕末に起きた事件現場を数多く撮影したベアトは「生麦事件の現場」写真など、貴重な資料を数多く残しています。

公使館となっていた善福寺から、ヒュースケンの墓がある光林寺までベアトを案内したのは、やっぱり助蔵だったのでは…。イタリア系で英語が苦手なベアトより、ハリス仕込みの英語を話す助蔵の方がひょっとすると冗舌だったかもしれません。

助蔵物語
Episode 11
再会
大正四年（一九一五）
下田 柳生山中
変わらねぇなぁ…ここは
カァ
カァ

どっこらしょ…っと
ザザザ…
百年前も…二百年前も…
Perhaps…※ここは変わってねぇんだろうなぁ
変わっていくのは…人サマだけかい
ガラ…

※Perhaps…＝たぶん

お父さん
お帰りなさい
ああ
もうそろそろ
山仕事はおやめに
なった方がいいんじゃ…
Don’t worry!
心配ねえ
よっこらしょ…
あ!

そうだ
お父さん宛に電報が来てるわ
オイラに急用がある奴なんていんのかい
瀧蔵っ！
アイニイク タキゾウ

ごめんください
ガラッ

How are you
お元気ですか

Fine, thank you
もちろんだとも

おめえ
かわらねえなあ

※お福の死／お福は須崎の網元に嫁いで暮らしていた 明治二十八年（一八九五）五十三歳で病死している

※大連（だいれん）／現在の中華人民共和国の北部

次男の瀧三郎が大連※で
事業を興してな…
オレもずっと
大連暮らしなんだが

ワイフの墓は
新婚時代の思い出がある
東京に建てたよ

瀧蔵…
おまえもいろいろ
あったんだな

まぁ こうして
元気に下田で
再会できたんだ
オイラたちゃ
ハッピーだと
思わないと…
あいかわらず
英語の発音が
悪いのぅ 助蔵！
Shut up
シャラップ！
ところで
お福の墓はどこに
あるんだ？
玉泉寺さ
えっ？
行ってみるかい？
思い出の玉泉寺へ

毎日毎日 よう 揚げたなぁ あの重たい旗を…

なぁに… 運命と同じくらいの 軽さだったよ

瀧蔵があんまり お吉にしつこく すっから…

オイラまで 脇谷のジイさんに 殴られるハメに…

助蔵が 早起きに なったのは お吉が 来てからだったよな…

助蔵…
おまえお吉に惚れてたら？
ん…
そ そんなこたぁ…
ヒュ
ゴ

お吉…!

ヘッ
さてと…
おっ
とっとっ…
パシ!

TAKI,
you are very welcome
瀧蔵こちらこそ

Thank you, SUKE
ありがとう助蔵

村山瀧蔵

天保十三年（一八四二）豆州下田 生まれ
大正七年（一九一八）大連にて 没す
享年 七十六歳
菩提寺 大圓寺 東京都目黒区

カァ～
カァ～
ザザザ…

西山助蔵

天保十三年（一八四二）豆州下田 生まれ
大正 十 年（一九二一）下田柳生にて 没す
享年 七十八歳
菩提寺 徳蔵寺 静岡県下田市

アメリカ ニューヨーク
グリーン＝ウッド墓地

THEIR RIGHTS, WON FROM THEM THE
TITLE OF FRIEND OF JAPAN

初代駐日米国総領事
タウンゼント・ハリス閣下
IN
MEMORY OF
TOWNSEND HARRIS
BORN AT SANDY HILL N Y
OCTOBER 5TH 1803
DIED IN NEW YORK
FEBRUARY 25TH 1878
あなたが可愛がってくださった日本のボーイ…

助蔵の孫が会いに来ましたよ
助蔵物語
完

「助蔵物語」イメージソング

助蔵ブルース

作詞/杉本　武　作曲/大光寺 圭　編曲/Peach Boys Ranger

www.pbc-network.co.jp/factory/

＊イントロ
D　C　G　D

G　C
1.オイラは下田の大地主
G　C　G
そんな家柄の跡取りに 偶然生まれた
D　C　G　D
ただそれだけのことさ
G　C
百姓育ちの このオイラ
G　C　G
ハリスのおかげで 足軽に大出世
D　C　G　D
クワを脇差しに 持ち替えた
G　C　G　G
運命なんて わからねぇ（わからねぇ）
C　C　G　G
誰が決めてる わけじゃねえ（わけじゃねえ）
D　C　G　D
うまくのりこなしていくだけさ

G　C
2.異人の世話やきしてた朝
G　C　G
甘い香りがした 山門で 玉泉寺
D　C　G　D
下田芸者の お吉さ
G　C
夢にまでみた 亜米利加にも
G　C　G
跡取り息子の宿命で 行くことできねぇ
D　C　G　D
うらやましいのは 瀧蔵さ
G　C　G　G
人生なんて わからねぇ（わからねぇ）
C　C　G　G
笹の小舟に 乗るようなもの（乗るようなもの）
D　C　G　D
しがみついて いくだけさ

G　C
3.下田に戻り 所帯持ち
G　C　G
英語はできても百姓できねぇ 役立たずさ
D　C　G　D
浦島太郎は こんな気分かい？
G　C
村人相手に 領事館
G　C　G
時代の話を面白おかしく 聞かせてやったさ
D　C　G　D
トっぽいハイカラ ジジイだぜ
G　C　G　G
役割なんて わからねぇ（わからねぇ）
C　C　G　G
いいじゃねぇか 喜ぶ奴もいる（奴もいる）
D　C　G　D
できることを やるだけさ

G　C
4.お吉が死んだと 聞いたときゃ
G　C　G
地蔵さん建てて祈ったさ 傾城塚
D　C　G　D
初恋忘れちゃ 生きた甲斐ねぇ
G　C　G　G
運命なんて わからねぇ（わからねぇ）
C　C　G　G
人生なんて わからねぇ（わからねぇ）
D　C　G　D
一瞬も一生も 一緒さ
G　C　G　G
運命なんて わからねぇ（わからねぇ）
C　C　G　G
人生なんて わからねぇ（わからねぇ）
D　C　G
ただそこにオイラが いただけさ

タウンゼント・ハリス
ヘンリー・ヒュースケンの僕(しもべ)

西山助蔵の生涯

「黒船とわが家」

山梨まさ

次衛の娘 芳子　　助蔵の孫 次衛　　次衛の妻 まさ

（1950年代に撮影／山梨家蔵）

解説

山梨まさと「黒船とわが家」

「助蔵物語」原作シナリオ
杉本　武

山梨まささん（一九〇一～一九九三）は、助蔵さんの二番目の孫、次衛（つぐえ）さんの奥様です。

助蔵さんは孫の中でも、とくに次衛さんを可愛がったそうです。もちろん初孫が生まれた時も喜んだに違いありませんが、何故、次衛さんに対して思い入れがあったのでしょう？　年譜を作成していて気づいたことがあります。それは、次衛さんが生まれた年に助蔵さんのお父さんが亡くなっていることです。助蔵さんは次衛さんを父親の生まれ変わりのように感じていたのではないでしょうか。

さて、助蔵さんが希望した通り船乗りとなった次衛さんは、その後、長きにわたりニューヨーク航路の船長などを務め、昭和二十六年（一九五一）には、三井造船株式会社（現・三井Ｅ＆Ｓホールディングス）の監査役にまでなりました。

引退後、下田に戻った次衛さんは、まささんの実家が営んでいた旅館を継承するため、まささんの実家に入り、姓を山梨に改めます。したがって、まささんも再び元の姓である山梨を名のることになりました。まささんが次衛さんとご結婚されたのは助蔵さんが亡くなってから三年後の大正十三年（一九二四）でしたから、まささんは助蔵さんと直接会うことはできませんでした。それでも、次衛さんから繰り返し聞かされていた祖父 助蔵さんに対しては深い敬愛の念を抱いていました。

昭和四十年（一九六五）、最愛の夫を亡くしたまささんは、夫から聞いた話を風化させまいと書き残すことを決意します。歴史書物を調べ、長い歳月をかけて完成したのが、この「黒船とわが家」です。人は大きな悲しみや虚しさに見舞われた時、何かに没頭することによって、それを乗り越えようと努めます。それは、まささんが懸命に「黒船とわが家」の執筆を行ったことからも感じられますし、私の知人、そして私自身にも覚えのある、人が何かを乗り越えようとする時の普遍的な力だと思います。

「助蔵物語」には、助蔵がヒュースケンから借り受けた辞書を書き写すエピソードがあります。その結果、下田開国博物館に「助蔵の単語帳」が残されている…ということになるわけですが、実際にこの単語帳が、いつ、どこで書かれたかについては、確たる証拠は見つかっていません。

河元由美子（元・早稲田大学日本語研究教育センター）氏の学術論文「西山助蔵の英語単語帳」によれば、下田の領事館時代ではなく、おそらく江戸に出てから完成したものではないかと推察されています。

それでは何故、領事館で何年も働いた後、そこそこの日常会話くらいなら、もうできただろうに、わざわざ基本的な言語からなる単語帳を完成させる必要があったのでしょうか。

ヒュースケンの死が、そのきっかけにあったのではないか…と私は感じ、漫画に託しました。

まささんが精魂込めて書き上げた「黒船とわが家」は、周囲からの勧めもあり、大手新聞のエッセイ大賞に応募され、みごと佳作入選を果たしました。しかし、その後、残念ながら活字になってはいませんでした。残されているのはまささんが作文用紙に手書きした原稿だけです。

そこで今回、「助蔵物語」の基ともなったこの「黒船とわが家」を御子孫の許可を得て、ここに掲載させていただくことにいたしました。

「黒船とわが家」

タウンゼント・ハリス
ヘンリー・ヒュースケンの僕　西山助蔵の生涯

山梨まさ

祖父、西山助蔵は安政三年十五才※で下田奉行所の足軽となりました。その年アメリカから来たハリス総領事とオランダ語の通訳ヘンリーヒュースケンが玉泉寺に領事館を開きました。

ハリスは下田奉行に日本人のボーイを二人推薦をたのんで来ました。奉行所では足軽の西山助蔵十五才と、村山瀧蔵十六才の二人を選び玉泉寺に連れて行きました。そしてハリスの日本滞在中はずっと居を共にしました。

※表記は数え年ですが、現在の年齢でいうと十月生まれの助蔵は、まだ十四歳。瀧蔵は十五歳になったばかりだったと推察されます

ハリスは帰国の時、助蔵を連れて行きたいと申されましたけれど、助蔵の家族が反対をして助蔵の米国行きは取りやめとなりました。助蔵は英語をよく覚えて、自分で日英語彙対照表を作りました（十四冊約五千四百語）。

ハリス帰国後も助蔵は英語の役に立つアメリカ公使館にずっと勤め、四十才近い頃、下田へ帰りました。

※正しくは明治三年（一八七〇）頃、二十八歳で帰郷しています。

助蔵は下田の農家の主人として自らが不適者と思い、末弟の藤蔵（とうぞう）を養子とし、娘と妻に財産を分けて分家させました。

藤蔵は助蔵がハリスに仕えたようによく仕えました。助蔵の晩年は、自らの過ごして来た少年青年の頃のすばらしい、まれな体験の思い出に生きていました。

藤蔵は四人の男の子があり、次衛（つぐえ）は

上から二番目でした。祖父の意志通り商船学校を出て船長になり、祖父の行きたかったアメリカへ何度も行きました。
　私は今から※五十年前、次衛と結婚をしました。その時は助蔵の没後三年目でした。父母も次衛もよく祖父を物語りました。私は祖父の話を聞く度に感動を禁じえませんでした。
※この文章が書かれた昭和四十九年（一九七四）頃です。

　助蔵を語っていた家族も皆亡くなり、私が最年長となり、祖父の大切にしていたハリス公使の記念の幕府の老中からハリス宛の書物など外務省外交資料館に保存して頂くことにしました。
　人も変わり下田も変って行くので、私は私が聞いていた祖父のことを基にして、いろいろの参考書を調べ助蔵の足跡をたどっていました。
　私も年をとりましたが助蔵祖父のことは何とかして書き残したいと思っています。

祖父 西山助蔵 一八四二〜一九二二

　西山助蔵は、旧下田町の郊外中村二七番地に西山平左衛門と妻ゆうの長男として天保十三年九月八日※に生まれた。
※新暦 一八四二年十月十一日
　高根山から武山に延びている山脈の麓には、日当りのよい所に農家が点々と穏やかな姿で建てられていた江戸末期の頃である。そんな農家の一軒が助蔵の生まれた西山家であった。
　下田が脚光を浴びて江戸表が騒がしくなり、幕府は行政上、下田の役所を拡張することになって御用所から奉行所となり、助蔵の家の近くの平滑（ひらなめ）というところに下田奉行所が新しく開庁された。
　助蔵少年は奉行所の足軽として、二人扶持四石二斗で下田奉行所に召しかかえられていた。学校のないその頃、奉行所には若い侍のための学問をする部が、どこの奉行所にもあって、助蔵少年は読み書きをすることが好きであったため、そこで仕事の合間には漢文、国文、習字、そろばんなど勉強していた。

安政三年七月二十一日※、下田は驟雨（しゅう＝急に降りだす雨）模様の夜明を迎えた。

※新暦 一八五六年八月二十一日

その朝、下田港の港外にはニューヨークから下田まで大西洋、インド洋まわりでやって来たアメリカ合衆国のフリゲート艦サンジャシント号が待機していた。

下田奉行所の水先案内の小舟がアメリカの国旗と下田奉行所の旗じるしを舳先になびかせて、サンジャシント号（USS San Jacinto）を港内に誘導するために出ていった。

サンジャシント号という黒船は、やがて下田港内に錨をおろした。

その黒船はアメリカ大統領ピアスの命令で、アメリカの最初の駐日総領事であり全権であるタウンゼント・ハリスとオランダ語の通訳兼書記官のヘンリー・ヒュースケンを日本に送り届けるためであった。

艦にはハリスが日本に長期滞在するための物資も沢山積荷されていた。

ペリー提督が日本を去る時、三年の後※には日本にアメリカの駐日領事を送ると言った事が事実となって現われたのである。

※ペリーが日米和親条約を締結し、下田へ来航したのは、一八五六年ですから、正確にはハリスは二年後に来日しています。

下田奉行は驚き、江戸へ急便を送った。出来ることならばハリスを下田からアメリカへ帰したいのが幕府の意見であった。

長い航海の後、下田に着いたサンジャシント号にはアームストロング提督が乗っていた。艦長のベル以下、乗組将兵はハリス領事が下田へ無事上陸をして幕府と折衝の家、仮の領事館を開き、落ち着くまでハリスの行動を援助する事になっていた。どうしても帰国しないハリスを幕府は下田柿崎の玉泉寺を仮の領事館として滞在を許可した。

ハリスが最後にサンジャシント号の乗組の将兵に別れを告げて上陸する時、水兵達は甲板に整列して歓呼の声を上げ、軍楽隊は「ヘール・コロンビア」を奏して、この日本の小さな港に、ただ二人だけ長期滞在するアメリカ人を見送っていた。

そしてハリスは念願であった日本の鎖国をやめさせるため、強力な外交手腕と行動力を発揮させた。日本に最初のアメリカ領事館が誕生したのである。

玉泉寺の前庭にアメリカ領事館旗が旗竿に高くひるがえるのを見とどけて、サンジャシント号は安政三年九月六日※の午後錨を揚げて、遠くアメリカへ帰航の途に就いた。

※新暦 一八五六年十月四日

こうして下田に二人のアメリカ人が住むことになった。おそらく日本中にアメリカ人は二人きりであったかもしれない。

時にハリスは五十一才※で、ヒュースケンは二十四才の共に独身であった。

※ハリスは、この年の十月三日、下田で五十二歳の誕生日を迎えています。

領事館にはハリスが香港で肩入れして連れて来た中国人の召使頭アサムのほか、調理、洗濯夫などがいた。

ハリスは下田に入港するとすぐ上陸をする前から下田奉行所の役人に、自分とヒュースケンの身のまわりの手伝いをする日本人の少年を二人人選してくれるようにと申し出ていた。

下田奉行は、奉行所の少年足軽の村山瀧蔵十六才と西山助蔵十五才の二人※に目をつけた。

※現在の年齢でいうと新暦十月十一日生まれの助蔵は、まだ十四歳。瀧蔵は十五歳になっていました。

瀧蔵は背の高い美少年だった。助蔵は利発で健康な少年であった。
下田奉行、井上信濃守以下の面面及び森山通訳に呼ばれた瀧蔵、助蔵は、事のてん末を聞かされた。
中村にある村山家も西山家も、共に平和な暮らしの農家であった。助蔵、瀧蔵の話しを聞いた両親は、なるべくならばそのまま奉行所の勤務を続けさせて頂きたいと願った。
下田奉行所支配組頭の若菜三男三郎と森山通訳は又ハリスと交渉を重ねた。
助蔵、瀧蔵を昼領事館に勤務させるとしても、せめて夜は家に帰してもらいたいのは両親の願いであった。その事について願い出た森山に、ハリスはこう答えた。
「夜分帰しては用事も間に合わないから合宿をしたい。皆様方は御家来をどうしますか。
一昨日は下田には適当な者がないといったが、もし江戸か浦賀から呼び寄せたら朝夕出入りするわけにもいかないでしょう」
こんなわけで助蔵少年は両親の心配や不安は十分わかっていたが、奉行の立場も考え、同僚の村山瀧蔵と共に領事館に行く決心をした。
助蔵は奉行所に出入りする外国人も度々見ていたし、先進国の文明にも多少の憧れもあった。そして少年の冒険心も手伝って、領事館に自ら進んで行ってみようという気になったのであった。
気の進まない両親も説得し、瀧蔵とも話し合い領事館に行くことになった。
安政三年八月十七日※に村山瀧蔵と西山助蔵の二少年は、あらためて下田奉行、井上信濃守以下、森山通訳の前に呼ばれた。
※新暦 一八五六年九月十五日
その頃、日本では英語の分る人はあまりなかった。外国語といえば中国語やオランダ語なのでハリスとの交渉は、全部オランダ語が仲介であった。森山多吉郎は長崎から呼び寄せられたオラン

ダ語の通訳で、ヒュースケンはオランダ系のアメリカ人※であったのでオランダ語はもとより、フランス語、ドイツ語もできた。

※ヘンリー・ヒュースケンは一八三二年、オランダのアムステルダム生まれ。二十一歳の時にアメリカへ渡り、アメリカ国籍を取得しています。

奉行はアメリカ領事館に勤務する心得を懇懇と二人の少年に話した。

領事の事を奉行は、コンシェルと言い、通訳をヒュースケンと言ったのが、英語を少しもわからない二人の少年には、コンシローとヒョースケと聞こえた。

奉行は少年の心を打つように困難もあろうが誠心誠意仕えるようにと申渡された。

その日の午後、下田奉行所の調役、脇屋卯三郎と森山通訳、そしてその従者達に付き添われて二人の少年は柿崎の玉泉寺へ行った。西山家の者は、長男が玉泉寺へ行ってしまったので心細い思いをして首尾はいかがと待っていた。

奉行所からの連絡で、二少年が元気で領事館に居ることをきいて西山家ではやっと安心をした。

助蔵の扶持は奉行所から家に届けられた。

領事館の人数は、ハリスとヒュースケンのほかに中国人四人と、助蔵、瀧蔵、水運搬人、掃除人、園丁、馬丁と合計十名の従者がいた。

助蔵、瀧蔵が領事館に行った日の幕府側の記録には

「此方（脇屋卯三郎）
小間使の儀、先達中より申立てられ候ところ漸く、人選いたし、両人召連れ候。
これまで外国人に接待いたし候ことこれなく、殊に若輩のこと故、定めて不便にもこれあるべく候へども、事馴れ候まで、気永に召遣はるべく候」

外交記事本末底本所引中村時萬留記／幕末外国関係文書之十四　坂田精一訳「ハリス日本滞在記」より

また、その日のハリスの日記にも
「一八五三、九、十五
午後になって森山と第三奉行、およびその随員とが来訪した。十五才と十六才の二少年をつれて来た。彼等の名前は助蔵と瀧蔵で、後者を私の召使とし、他をヒュースケン君の方にあてた」

坂田精一訳「ハリス日本滞在記」より

と書かれている。この日から助蔵の少年の心の中は助蔵少年なりに考えることが多くなったのである。

少年の目に映った二人のアメリカ人はどんなであったか。

まず、言葉の分らないのが一番困る事であった。

二人の少年は奉行に言われたように、正直に忠実にかげ日なたなく仕えようと思った。

ハリスはアメリカ合衆国の領事と全権という権限を持ち、威厳のある風ぼうをしていたが少年達には大変優しかった。

ヒュースケンは若いし、気さくで二人の少年を面白く楽しく働かせた。そして言葉や習慣のちがう困難をなくそうと、自分は日本語を覚えようとし、二人の少年には英語を教えた。助蔵は英語の覚えが早いと度々褒められた。

ハリスの部屋で見る西洋の書物は助蔵の驚きであった。自分も横文字が書けるようになりたいと思い、ハリスやヒュースケンから教えられた英語を助蔵は和紙に毛筆で書いた。

ニューヨークでの生活をそのままこの下田の寺院の中に持ち込んで洋風の生活をしているアメリカ人のすることなすこと珍しかった。助蔵は日常生活のための用語から始めて、それを横文字で書きためていた。

未知の国を見るような領事館内の二少年の生活は、わりと楽しいものであった。

助蔵は英和辞典のような物がほしかったが、その頃、辞典などあるわけもないので、自分で日英語彙対照表を作ることにした。半紙を二つ折りにして英語は横書にして、その訳は紙をまわして縦書きにして、毛筆で書いた。英字の大文字、小文字を練習をして書いてみることが、助蔵の勉強であった※。

※後に「助蔵の単語帳」は、メドハースト(Walter Henry Medhurst)が一八三〇年に発刊した『英和和英語彙集』が基になっていることが判明しました。
また、単語帳は江戸で完成したと推察されますが一部は下田で書き始められていた可能性もあります。

ハリスやヒュースケンの食事のサービス洋食器のならべ方、靴みがき、ベッドのセットなど、めずらしい仕事ばかりであった。

玉泉寺の前庭に立っている旗棹に星条旗を掲げる仕事もあった。

「一八五七年七月四日

総領事の要求により奉行達は、今朝二門しかない大砲に数名の砲手をつけて柿崎へ行かせた。総領事は病気だったので、私が正装をして、合衆国の国旗を下男に持たせ、その大砲を据えた海岸へ出かけたアメリカ国旗は、合衆国の独立八十二周年を祝う二十一発の礼砲を受けた」

青木枝朗訳「「ヒュースケン日本日記」より

その下男とあるは助蔵の事と思う。

正装したヒュースケンの後に、米国の国旗の包みをもって従う助蔵が思われる。

ハリスは二人の少年を家族のように扱ってくれた。二人の少年が英語を分るようになれば大変便利になるので、暇があると英語を教えてくれた。勉強の好きな助蔵は横文字の勉強はとても興味があった。

奉行所の役人や通訳は、助蔵、瀧蔵が無事に領事館に勤務しているので安堵の胸をなでおろしたというわけであった。

ハリスの強硬な幕府との交渉の結果ハリスの念願である、徳川家定に直接面会して、アメリカ大統領ピアスの親書を上呈する時が来た。

ハリスは高い格式で江戸入りをすることになった、江戸へアメリカの軍艦の近づくのを嫌う幕府は下田から陸路ハリスの江戸入りを許可した。

一八五七年九月二十八日

ハリスの日記の一節

「私はヒュースケン君と二名の日本人の家僕だけを、私の使用人の中から連れて行くことになるだろう。

私は、下田の副奉行、柿崎の村長、下田の町長、出羽守の私約書記を帯同することになっている。みんなで約百五十名、あるいはそれ以上の供廻りとなるであろうし、それに、その他の者をも加えれば、行列の総勢は二百五十名ほどに達するだろう」

坂田精一訳「ハリス日本滞在記」より

ハリスの日記によるとアメリカ領事館側の正式の旅行者は、ハリスとヒュースケン、そして瀧蔵と助蔵の四人ということになっている。

河津より先に行った事もない助蔵にとって、陸路、江戸まで七日の旅は大旅行であった。旅装束も総てハリスによって整えられ、雨天の用意のため合羽も旅笠も新らしい物が用意された。

江戸幕府としても外国からの国賓であるから、最高の儀礼をつくし、下田から江戸まで宿舎になる寺院などはもとより、道中すじの清掃も特に入念にして、この堂々とした行列を迎えたということである。

ハリスは駕籠と馬を用いて道中をすることになっていたので、道路ばたの藪は折り払われ、沿道の町村はおふれによって警備の仕を仰せつかっていた。

下田町始まって以来の大行列が繰り出すとあって、柿崎、下田、中村の人々は仕事も手に付かない有様であった。

助蔵の両親や親族の者も、この大行列の最年少者の助蔵がヒュースケンのそばに付いて江戸まで歩くと云うので、皆西山家に集まって来て、餞別をおいて行く人やら大変な騒ぎであったということだ。

助蔵は、わが家に帰り旅立ちの挨拶をする暇もなく、領事館内にあって出発の日は行列の中から、自らの家の前に集って見送っている家族を遠くから笑顔を向けて通りすぎて行くのであった。

「行列の人数は三百五十人だったというが行列の先駆は下田奉行輩下の菊名仙之丞で、百俵高、御扶持七人扶持の侍。その前に奴三人いずれも長槍をふりたてて『下にいろ、下にいろ』とさけぶ、合衆国の旗が二人の護衛者にまもられ、その後から、ハリスが左右に六人の侍をしたがえて馬上ゆたかに歩をすすめる。ハリスの駕籠は特製の大形で十二人の屈強な駕籠舁がつき靴持ちがその後にしたがった、黒布で包まれ、同じ紋のついた三角の小旗が立ててあった」

坂田精一訳「ハリス」より

この行列の出発したのは安政四年十月七日※であった。瀧蔵と助蔵は、御主人の駕籠の時は駕籠のそば、馬上の時はその後から歩いた。江戸へ上る助蔵の初旅は、こんな、後にも先きにも無いような豪華な行列の中の一員であった。

※新暦 一八五七年十一月二十三日

助蔵、瀧蔵はハリスのペイジボーイ※であるから奉行や通訳への伝言くらいが道中の仕事であった。

※キリスト教式の結婚式で新婦の前を歩いて入場し、式で使用する聖書を運ぶ役割の男子の呼び名。

宿舎につけば二人の御主人のそばにいて、日常のしきたり通りの手伝いをした。

江戸へ到着してからは、行列もすっかり隊位を正して黒山のような人出の中を日本橋から九段の蕃書調所（東京大学の前身で幕府の外国語を学ぶ所）に向かい、同所がハリスの宿舎であったので、はるばる下田から出てきた四人はそこに落ちついた。

ハリスは江戸に上るのに当たり、中国人の従者は一人も同行させなかった。中国人の召使頭アサムは玉泉寺の留守番役であった。したがって、助蔵、瀧蔵は責任を感じていた。ハリスは下田の料理人に五週間ほどかかって洋風の料理法を教えて旅行中も、道中で手に入る材料で洋風の料理を楽しんだりした。

助蔵、瀧蔵も、その頃はご主人の話す英語も大分理解できたので、日常生活のやりとりには事かかないようになっていた。

ハリスの江戸の宿舎になった蕃書調所は下田の領事館に似せてしつらえてあった。

瀧蔵や助蔵の服装はいつも新しい和服を呉服商から領事館におさめられていたので、年齢に相当な上等なもので、紋付羽織はハリスがアメリカの紋章であるバルドイーグルの図柄を指定して作らせてあった。黒羽二重に綸子の裏をつけ白の太い紐がついていた。仙台平の袴とか淡ねずみ色の麻布で作られた裃（かみしも）にも白くバルドイーグルの紋章が染め抜かれていた。江戸の呉服商は白木屋であった。

このような式服はハリスが公式の訪問などで大駕籠で行く場合に助蔵が駕籠かきに付いて行く時に着用したということである。

ハリスが正装をして江戸城に登城した時や、堀田閣老の私邸を訪問した時など、いずれもこの紋付を着て供をしたということである。

助蔵は蕃書調所のハリスの応接門では、堀田閣老の下で外交事務を扱っている幕府の新らしい知識人達を毎日の様に見ていた。

日本の風俗をした日本人少年であるハリスの二人のペイジボーイは、西洋風の接客の要領を日ましに心得て行った。
助蔵の日英語彙対照表は大分ぶ厚くなって来た。ハリスのあるところにいつも二人のボーイは従い仕えていた。
下田奉行にさとされたコンシェルに仕える心得は助蔵の心に徹していた。
ハリスは「鎖国は世界の公敵であり、いずれの国も鎖国をする権利はない」と幕府の堀田閣老や井上信濃守や目付の岩瀬に力説して条約の成立を願っていたが、日本の国内の情勢は御三家の長老、水戸の斉昭という攘夷の旗頭もおり、ハリスの豪胆で細心の外交手腕をもってしてもなかなか思うようには運ばなかった。
ハリスを暗殺しようとくわだてた水戸の藩士や浪人もいた。
ハリスの身辺を護衛する幕府の護衛の侍は、あまり物ものしく護衛される事を嫌うハリスを遠まきに警護することをおこたらなかった。いつもハリスの側近にいる瀧蔵や助蔵は幕府の侍にいざという時の手はずも聞かされていた。
ハリスは自分の使命に命をかけていたのでいつも平然としていたが、助蔵や瀧蔵に日本には、まだ数少ないピストルという物のあることは教えてあった。
助蔵のたゆみなく書き続けていた日英語彙対照表は、助蔵の生涯の記録のようなものであった。短い言葉が積み重ねられている。
ハリスは日本の覚せいを促して強硬な談判を幕府と交わしているが、ハリスの健康は思わしくなく、発熱に苦しみ、下田へ帰って静養しようと幕府の軍艦である観光丸（咸臨丸）に乗って下田へ帰った時もあった。
ハリスの従者はヒュースケンはじめ、瀧蔵、助蔵も無論同行していた。助蔵が病気に関係の言葉を多く書いたのはその頃かもしれない。
助蔵は天候に関係する言葉、衣食住に関係の言葉、人間関係の言葉などそれぞれ自分流の訳を付けている。

幕府の方は堀田閣老が京都へおもむいて、朝廷方の同意を得てアメリカとの条約調印の勅許を得ようとしたが、耳を傾ける者もなく堀田閣老を落胆させた。

堀田閣老は、ついに井伊掃部頭と交代をした。支那（中国またはその一部の地域）やインドの二の舞をさせまいとするハリス、このあたりの歴史のページは息をのむものがある。

焦燥のうちに歳月の立つもどかしさ、ハリスは海路下田へ帰って考を練ることもあった。その度に蕃書調所のハリスの従者は、相模灘を越えるのであった。

ハリスの一行が下田へ帰っても、助蔵は中村の西山家へ帰宅することはまれであった。

帰宅する時は胴巻の中に入れて持って来た自分の給料を両親に渡す時であった。衣食住をハリスに与えられていた助蔵は金銭は必要なかったし、四六時中の勤務なので、金をつかう時もなかった。西山家では助蔵のために田地など買う足しにした。

ハリスの使命も大詰を迎える時が来た。ハリスが下田に静養をしていた時、折から下田へ入港して来たアメリカのミシシッピー号からの新しい国際情報を受けたハリスは、一時も猶予できない事態を知ったので、ちょうど下田港に碇泊中のアメリカの軍艦ポーハタン号に乗って下田を出帆し、江戸湾の神奈川沖に仮泊し、早速幕府に事の重大さを知らせた。

そして有名なポーハタン号上の日米修好条約がハリスと井伊大老の内意を得ていた、井上信濃守と目付、岩瀬によって艦上で調印されたのである。

一八五八年五月二十九日の午後三時、ハリスの使命は達せられ、ポーハタン号のマストに日米の国旗がはためき、二十一発の祝砲も轟いた。その感激に満ちた祝砲のとどろきを十七才の助蔵は、ポーハタン号の船室で肌で感じていたのである。

ハリスは条約の調印が済み、公使に昇格をした。

安政六年三月五日※には、ミシシッピー号に乗船して下田を出帆し、香港、長崎方面に旅行に出た。助蔵と瀧蔵は共にこの長途の旅行にも連れて行かれた。

※新暦 一八五九年六月二十九日

助蔵は、度々アメリカの軍艦や、幕府の軍艦にハリスの供で便乗しているので船には慣れていたが、それは下田と江戸の往復であったが、今度は二ヵ月もかかる長い航海だと中村の家にも知らせに来た。

助蔵は航海中、ブリッジ（操舵室）に何かの用で行ったものと見える。その時、舵をあやつり、天測をして船の位置をしらべて航海をするということがわかった。

また、海図というものも初めて見て、海の中のことが正確に記されているのに驚いた。何時にはどこが見えるとか、何日にはどこの暗礁のところを通るとか、アメリカ人がすっかり知っているのが不思議であったが、海図にすっかり出ているのに、また驚いて乗組みの人に尋ねてみたという。

それは昔から日本の近海まで鯨を獲りに来た捕鯨船の人々が、すっかり調べて海図を作ってあるのだと教えられた。

助蔵は当直の士官が操舵手に、操船の号令をかけているのを聞いた。その意味は助蔵に分からなかったが、助蔵の若い脳裏に深く刻まれて、忘れることができなかった。

「ハード、ポート」「スター、ボート」

潮風と浪の響きの中で鍛えられた声で、黒船の士官が言っていた海の言葉を、ちょんまげの髪に和服を着たハリスのボーイ助蔵は、いつまでも覚えていた。
航海中も年少の助蔵は乗組の人達に親しまれたので、人種は違っても人情と云うものに変りはないと家族の者に語っていたということだ。
助蔵が旗というものの色々の意味を考えたのも領事館へ行ってからだ。
領事館で掲げる星条旗にしてもアメリカの象徴であるということも分った、また黒船に乗っている時、旗にアルファベットのあることも分った。
後年、孫の男の子に「旗郎」という名をつけたのも助蔵である。
助蔵は長崎では上陸を許され、長崎の町を見た。自分のために硯（すずり）や鞄を買った。
大きなザボンの実は珍しかったので下田の家に持ち帰り、その種を蒔いた。ザボンの木がだんだん大きくなり沢山、実をつけた。
ハリスは航海から帰ると玉泉寺を引き払い、江戸の蕃書調所もやめて、麻布の善福寺を仮の公使館とした。
ハリスと条約を結んでから、幕府は次々とオランダ、ロシア、イギリスと条約を締結することになった。
日本の事情に通じ、日本語もいくらか解し、また日本人の話す古いオランダ語の日本なまりの言葉にも慣れているヒュースケンは江戸の外交団の花形であった。
日本の国内は、井伊大老の暗殺事件などあり大変困難な時であった。
ヒュースケンは、プロシャ（プロイセンの英語名／現在のドイツ連邦共和国）の代表部である麻布古川端の光林寺へ行った帰りに、不慮の災難にあってしまった。
騎馬のヒュースケンは前後を騎馬の役人に警護されていたが、浪人のため斬りつけられ、脇腹に重傷をおった。それでもなお走ったが、とうとう落馬してしまった。善福寺にかつぎ込まれ、プロシャやイギリスの代表部から、外科医の応援を得て、医術と同情の限りをつくして手当したが、その甲斐もなく絶命してしまった。

助蔵は、その時は十九才になっていた。ヒュースケンの外出の時、鈴木善之丞と阿部孝吉外一人が騎馬で護衛し、外に徒士四名が提灯をさげて随行していたそうだが、助蔵もその中の一人だったかもしれない※。

※「助蔵物語」では助蔵はヒュースケンの帰りを待っていたことになっていますが、現在のところ真相はわかっていません。

幕府も各国の代表部も弔意を表し、しめやかな、悲しみに満ちた、荘重な葬儀が行われた。

ハリスはアメリカの国務省宛に書いた報告書にも「われわれの関係は、主人と雇人というより、むしろ親子のようなものであった」といい、ハリスは、下田着任以来の長い孤濁の伴侶を失ってしまったのである。

助蔵は青ざめたヒュースケンの遺体に正装を着替えさせる手伝をしたということである。

葬儀には各国代表部の弔旗、プロシャの海軍の軍楽隊、幕府の新見、村垣、小栗、高井瀧川など、日本から最初にアメリカへ使節で行って来たばかりの人々も列した。

ヒュースケンの遺品はアムステルダムに一人暮らす、ヒュースケンの母のもとへ送られたが、助蔵にも数多くの衣類とか長靴とか、不用になったものをハリスが与えた。

ヒュースケンの後任はホルトメンであったが善福寺の寺中の別の寺に住んでいた。

瀧蔵は結婚して善福寺の門前の町に住むようになり、助蔵は善福寺にいてハリスに仕えていた。

少年の益田孝が幕府の宿寺詰となって英語の勉強がてら善福寺に通っていたのもその頃である。

ハリスはそんな悲劇のあった後も、わざと毎日、馬に乗って運動に出かけたということだ。江戸城のぐるりを麹町、小石川とひとまわりしたが、幕府は再度の間違いを心配して、五十人ほどの騎馬隊の護衛を前後につけたが、ハリスは護衛をするなと鞭で何度も合図をしていたということだ。その護衛隊は草色に式の字を丸く大きく描いた三紋の羽織を着ていたので、善福寺にいる者は「菜つ隊」と呼んでいた。その隊長は江原素六であった。

善福寺には、幕府の外国方から宿寺詰の侍が常時泊り込みで詰めていて、外国の軍艦や商船が羽田沖へくると、尋問する文章を英語で書いてもらって、益田少年など羽田沖へ度々行ったということだ。

ハリスは浪士が斬り込もうと思えばいつでも斬り込むことのできるような善福寺の書院を自分の部屋にしていて、夜も雨戸を閉めるだけで、ハリスはそこに唯一人でいた。

ハリスは幼い頃から母より受けついだプロテスタントのエピスコパルの教えを守り、神を信じ神を恐れていたから自分を律することも厳しく、自分の救は神のみに委ねていたのかもしれない。

益田孝翁も助蔵がハリスを語っていたのと同じように、その自叙で、ハリスの几帳面で真面目であった事を語っている。

ヒュースケンの日記にも、ハリスが下田で大病の癒えかけた時、ヒュースケンに窓を開けさせ、樹木やあたりの景色をながめながら

「神に感謝をしよう、自然を見ることは神を見ることであるから」と書いてある。

青木枝朗訳「ヒュースケン日本日記」より

瀧蔵も助蔵もハリスが日曜日には人を近づけず、用も聞かず、部屋にこもり、バイブルを読んでいたことを語っている。

何よりも修好条約第八条で幕府に信仰の自由を認めさせ、日本の長かった禁教の歴史に終止符が打たれたのも、ハリスの宗教に対する真面目な考

え方からであったと思う。
　助蔵は長いこと丁寧に書いていた日英語彙対照表もヒュースケンの死と共に終っている。最後に自分のサインとヒュースケンと綴って終っている。
　ハリスは自分の歴史的使命が終ったと考え、帰国を思うようになった。
　アメリカの政府は共和党であった。南北戦争（一八六一年〜一八六五年）も始まって一年も経っていた。ハリスの帰国の意を知って将軍家茂はじめ、久世大和守、安藤対馬守など多くの人がハリスの交迭を惜んだが、帰国の意はかたかった。
　ハリスは助蔵に
「私と一緒にアメリカへ行かないか、勉学の機会も与えよう」
　と言われた。助蔵はアメリカへ行きたいと思った。独身でもあったし、下田の家には弟もいるのでアメリカへハリスと一緒に行こうと思った。
　下田の西山家の家族はこぞって助蔵のアメリカ行きを反対した。長男であり、今まで家のために尽くしてくれた助蔵を遠いアメリカへはやれないと助蔵のアメリカ行きは中止されてしまった。
　ハリスが下田着任以来、五年と九ヶ月、一時も離れず、一つ家に暮していた助蔵は、ヒュースケンは悲劇の最後を遂げるし、ハリスも帰国するというので、自分のとるべき道に迷った。
　ハリスは助蔵にアメリカへ行かないならば引き続きアメリカ公使館に勤務するようにと言われた。後任のブリューイン公使に助蔵の身柄をたくした。
　ハリスは文久二年四月十二日※、江戸を儀丈兵に守られ、後任のブリューイン公使と馬車に乗って横浜へ行き、上海経由で帰国の船に乗って日本を去って行った。
※新暦　一八六二年五月十日
　助蔵は横浜までハリスの荷物と一緒に行き、い

つもハリスと一緒に航海をする時したようにハリスの船室の中にハリスの日用品をそろえて待っていた。

そしてハリスも、ハリスを乗せて行く黒船に永遠にフェヤウェル（Farewell＝お別れ）をした。

助蔵はそれからすぐ下田へ帰る気にもならず、やっぱり覚えた英語の役に立つアメリカ公使館に四十才近くまで※勤めて、やっと下田に引退して帰って来た。

※正しくは明治三年（一八七〇）頃、二十八歳で帰郷しています。

助蔵が下田に帰った頃は、日本も一変して明治の新政府ができ、欧米の文化の心酔者が巷にあふれる世の中に変っていた。

父　西山藤蔵（とうぞう）　一八六一～一九四一
助蔵の養子となった助蔵の末弟

下田に帰って来た助蔵は、わが家に落ちついてみると手持ぶさたであった。農作業は不馴れであるし、近所の様子も変っていた。

下田奉行所は取り壊されて元の畑となっていた。助蔵は晩婚ながら同村の村山まつと結婚した。とくという娘も生れた。

三人いた弟も一人ずつ他家に養子に行き末弟の藤蔵が一人残っていた。

助蔵は手頃の耕地と山林を持って生活をしている自分の家の生活を立てて行くのに、自分は不向きであると考えて、弟の藤蔵に嫁を迎え自分は隠居してしまった。

助蔵の妻のまつと娘のとくには不動産を分けて下田奉行所の裏門に当るところにあった通称「裏門」と呼ばれていた村山家を継がせることにし、

助蔵は妻と娘と別居をしてしまった。

少年から青年の頃、ハリスの応接間で見ていた幕末に起こった色々の思い出は、助蔵を農家の老人として、家業を手伝い、近所づきあいをして静かに暮らしている普通の老人にさせなかった。

毎日新聞の来るのを待ちかね、読書をすることが仕事で、たまに山林を見まわりに出かけるくらいで雨の降る日など一日でも机の前に座って本を見ていた。

こんな助蔵に代わって末弟の藤蔵は忙しかった。自分の家のこと、分家のとくの家のことなど助蔵に代わって一切やっていた。

助蔵がハリスに仕えた様に藤蔵は兄の助蔵に夫婦でよく仕えた。そして助蔵の話し相手の出来るのは藤蔵であった。藤蔵は麻布の善福寺に助蔵のいる時、行ったこともあると言っていた※。

※藤蔵は助蔵より十九歳年下。助蔵が善福寺にいた頃に生まれているので、行った時には赤ん坊でした。

藤蔵に四人の男子が出来たことは、老年になった助蔵の楽しみであった。

まつやとくが西山家へくる事はさしつかえないが助蔵は自分からとくの家を訪ねたことは数えるほどしかなかった。

藤蔵の妻は、行儀作法を崩さない助蔵が大変遠慮であったとも言っていた。

四人の孫には何事もきびしく立ち振る舞い、寝相にいたるまでやかましかったと言うことである。孫たちは広い世界どこへ行っても通用する人間になれと言って人に迷惑をかけたりすると藤蔵夫婦にもやかましかった。

ある時は、助蔵は藤蔵と柿崎へ行き、あの時はミシシッピーはあそこへ碇泊したとか、指さして、その黒船がそこに見えるかのように藤蔵に語ったという。

助蔵が元気のうちにと思い、藤蔵は家を大正の初めに新築して※、助蔵の読書の机も書院窓のところへ置いた。助蔵は久世大和守、安藤対馬守がハリスに送った書翰を額にしてらん間に掛け、幕末の武鑑など調べ、ハリスの応接間に出入りしていた客人の人となりなどを調べてみることが何よりの楽しみであった。

※この頃、助蔵の話を基にしたお吉が初めて登場する小説「薔薇娘」（信田葛葉 著）が発刊されています。その謝礼金を元手に家を新築した可能性もあります。

助蔵が感動の連続であった少年青年期に引かえ、老後は、その思い出に生きていける環境にあり、末弟の藤蔵が自分がハリスに仕えたように仕えていたので、何の波乱もなく一九二一年の春、古木の枯れように亡くなった※。

※大正十年（一九二一）三月一日、自身が所有する柳生（やんぎょう）の山中で亡くなりました。七十八歳でした。

藤蔵夫妻も太平洋戦（一九四一～）の始まる頃、前後して亡くなった。

夫 西山（山梨）次衛（つぐえ）

助蔵の孫 一八九六～一九六五

次衛は助蔵の男ばかり四人あった孫の上から二番目であった。

旗郎、次衛、三平次、克之丞という名前はみな助蔵がつけたということだ。

助蔵は晩年をこの孫達と暮らしていた。助蔵は孫の躾は厳しかったので孫達には一番こわい存在であった。一番祖父に逆らって祖父を困らせたのは二男坊の次衛だったと藤蔵が言っていた。だがこの四人の孫は助蔵の楽しみでもあった。

孫達が中学以上になって、祖父の事をよく理解できるようになってからは、かけがえのない祖父を四人の孫はこぞって大切にした。

四人も男の子がいるのだから一人くらいアメリカへ行ってみようという子もいそうなものだと助蔵は常日頃話していた。

その頃、西山家にはまだヒュースケンの形見の洋服とか長靴などもあり、ハリスやブリュインやホルトメンから与えられた記念の品や祖父の日英語彙対照表のほか書籍なども沢山あって、それらの物が祖父の生涯を物語っていた。

二男坊の次衛は自由の身なので祖父の言うアメリカへ行ってみたいと思うようになった。

「僕、アメリカへ行ってみたいな」

ある日、助蔵に語りかけると助蔵は次衛をつくづくと見て、

「お前は商船の船長にならないか」

と真面目に返事をしたことがあった。

次衛の父は次衛を医科に進めたかったが、医者は四番目の克之丞にゆずって次衛は東京の商船学校に入学した。

商船学校の座学が済んで練習船大成丸に実習生として、南太平洋から北米西海岸に行くことになった。

その直前に次衛は下田の家に帰った。久々で見る孫が商船学生の制服を着て帰って来たので助蔵は特に喜び、晩餐の時、自分から次衛に酒をついで孫のアメリカへの門出を祝ってくれた。

そして昔自分が黒船ミシシッピー号に便乗してハリスの供をして長崎から香港方面へ航海した時の思い出話しをし、その時急に助蔵は、

「ハードポートとかスターボードという号令は、何を意味するのだ」

と次衛に聞いた。

「おじいさん、それは船を左にまわせとか右にまわせという事です」

助蔵は黒船に乗った時から心の奥の方にあった疑問を、死も近かった八十近い頃ようやく確かめたのである。

次衛が卒業したら三井商船に就職するつもりだと助蔵に話すと

「そうか三井には益田孝さんがおられる」

次衛は、時々祖父の思出話しに出てくる益田孝さんのことをあまりよく知らなかった。

三井の事情が解るようになった時、それが高名な益田孝翁であることがわかった。

麻布の善福寺に助蔵がいた頃は、幕府の外国係りや宿寺詰といって毎日、善福寺に詰めていた若い侍が沢山いたそうだが、その中に最年少の益田孝がいたのだという、助蔵はその男世帯の善福寺の生活のエピソードを折にふれてよく話していたそうだ。

下田中村の家に一泊して、また東京に帰る次衛は、いつものように助蔵は毅然としたような態度はくずさないが涙をうかべて次衛の別れの挨拶を聞いていたのが、かつてないことだったと言っていた。

いざ家を出発する時は、街道のところまで助蔵が見送りに出て、次衛と握手をし、遠ざかって行く孫にいつまでも手を振っていた、その様子が、昔自分が黒船のメート（Mate=仲間）にでも別れを惜しむ時のようなつもりとなったのか、いかにも西洋風であったことが印象に残っていると次衛が言っていた。

助蔵は下田のどこにでもいる老人と同じ風俗をしていたが、何となくする事に西洋風な雰囲気を持っていた。たまたま話す英語の発音はアメリカ人のようであったと次衛や克之丞が真似をしていた。

次衛は助蔵を語る時いつもニックネームのように「ミスター助蔵はね…」と言うのであった。

次衛が私と結婚のため下田へ帰った時、助蔵はもうこの世にはいなかった。亡くなって三年目であった。だから私は助蔵を見ることはできなかった。

次衛は三井商船のセカンドメート、チーフメートそして、助蔵の希望であった船長になった。でも助蔵に海や航海や外国の話しを聞かせることはできなかった。
次衛はヨーロッパ、インド、東南アジア、南米、その他、世界の主要港はたいていのところへ行った。
助蔵の少年の頃、鎖国の開港のと騒がしかった日本も、孫の代には、世界中の港に日本船の日の丸をはためかせていた。日本があの悲劇の戦に踏み込む前、次衛は三井商船のAクラスのディーゼル、エンジンで航走する現代の黒船でニューヨーク定期航路についていた。
三井商船の新造船Aクラスは太平洋横断のスピードを誇っていた、ファースト・クラスの船客若干とフィリピンはじめ東洋の物資を北米の両海岸に揚荷し北米の物資を登用に揚荷していた。
ハリスが貿易の国益ということを骨を折って幕府に進言しても、なかなか理解できなかった日本も、助蔵の孫の代には世界有数の海運国になっていた。
ハリスやヒュースケンが、東洋の果であるこの日本の小さな港、下田へ来るために、長い航海の旅に出かけたニューヨークの港には次衛は何回も寄港することが出来た。
吹雪の荒れるニューヨーク港、暑い夏のニューヨーク港、春秋の快適なニューヨーク港。その港に入る時、次衛は船のブリッジに立って目の前に広がってくる、マンハッタンの光景や自分の船の鳥居のような白いマストの向こうに見てくる自由の女神の像を望みながら、このニューヨークのブルックリン、グリーンウッドの墓地に永遠の眠りについている祖父の御主人であったタウンゼント・ハリス公使に
「貴方のページボーイであった助蔵の孫がやってきましたよ。
日本もこんな船が出来るようになりましたよ」
と話しかけたい気がしたと次衛はいつも言っていた。

船のスピードを落とし、入港のスタンバイにかかる時、ブリッジの上にいる当直のオフィサーやクオーターマスターやパイロット、そして船長皆一体となって、今も生きている海の言葉、助蔵が死ぬまで覚えていた、

「ハード、ポート」「スター、ボート」

と船を深重に接岸させる技術は今も変らない。

助蔵の孫の乗っていた現代の黒船は船体が黒ではなく明るいグリーンで荷役に便利なマストが沢山白く光って、スマートな形の船だった。

下田にいた、たった二人のアメリカ人である、おそらくその時は日本中にたった二人だったかもしれないハリスとヒュースケンのもとへ、下田奉行井上信濃守の推薦で恐る恐る行った十五才の助蔵の孫が、日本の技術を代表するような現代の黒船に乗って度々ニューヨークを訪れることが出来たことは、次衛の生涯でその生命の一番充実していた時かもしれない。

〈参考書〉
ハリス　日本滞在記　坂田精一＝訳
ハリス　坂田精一＝著
ヒュースケン日本日記　青木枝朗＝訳
益田孝翁自叙　益田孝＝著
黒船画譜　黒船社＝刊
ペリーと下田開港　森 義男＝著
下田名主の日記　名主某
踏絵　片岡弥吉＝著

※注釈＝杉本 武
旧仮名づかいなど一部修正いたしました。

1841
斎藤きち誕生
…
1961
伊豆急下田駅開業

お吉と下田に恋した男たちの120年

「唐人お吉」こと
斎藤きちが生まれた 1841年から…
下田に第２の黒船といわれた伊豆急行線
「伊豆急下田駅」が開業した 1961年までの
120年にわたる歴史をまとめた
2020年版「お吉年譜」

和暦	西暦	斎藤きち	村山瀧蔵／西山助蔵	
天保十二年	一八四一	斎藤きち 知多に生まれる（旧暦十一月十日／太陽暦十二月二十二日）		
十三年	一八四二		村山瀧蔵 西山助蔵 下田に生まれる（旧暦九月八日／太陽暦十月十一日）	
十四年	一八四三			
十五年／弘化元年	一八四四			
弘化二年	一八四五	④ 一家で下田に移住		
三年	一八四六			
四年	一八四七	⑥ 村山せんの養女となる		
五年／嘉永元年	一八四八	益田孝 佐渡に生まれる		
嘉永二年	一八四九			
三年	一八五〇	芸者修行に励む		
四年	一八五一			
五年	一八五二			
六年	一八五三			ペリー艦隊 浦賀に現る
七年／安政元年	一八五四	⑬ 幼馴染みの鶴松が仮設住宅を建築		ペリー再来日／安政東海地震発生
安政二年	一八五五	⑭ 養母 せん 震災関連死	⑬ 奉行所建設のため田畑が接収される	
三年	一八五六	⑮ 芸者として頭角を現す	⑭ ハリス／ヒュースケンの小間使いに任命される	玉泉寺 アメリカ領事館となる
四年	一八五七	⑯ ハリスの看病に上がる	⑮ 玉泉寺でお吉と初対面／ハリスらと江戸出府	
五年	一八五八			
六年	一八五九		⑰ ハリスらと香港、箱館、長崎などを旅する	玉泉寺閉鎖／江戸 善福寺へ
七年／万延元年	一八六〇		⑱ ヒュースケンが攘夷派に暗殺される	

助蔵、瀧蔵が住む中村一帯の氏神「神明神社」

万延二年／文久元年	一八六一			⑬ 益田孝 ハリスに英語を学ぶ	
文久二年	一八六二	㉑ 芸者として本格的に復帰			ハリス退任 帰国
三年	一八六三			村松春水 焼津に生まれる	写真家Fベアト来日
四年／元治元年	一八六四	㉓ 下田一の芸者の地位を確立			
元治二年／慶応元年	一八六五	㉔ さらなる飛躍を求め京に向かう	㉓ 村山瀧蔵 アメリカへ留学 帰国後 ウタと結婚		
慶応二年	一八六六				
三年	一八六七	㉖ 時代の変わり目を感じ京を離れる	㉕ 勤務先の善福寺が火災に見舞われる		
四年／明治元年	一八六八	㉗ 最先端の町 横濱で鶴松と再会 結婚			戊辰戦争始まる／明治改元
明治二年	一八六九	流行の唐人髷を習う			戊辰戦争終結
三年	一八七〇		㉘ アメリカ公使館 退任／下田へ帰郷		
四年	一八七一	㉚ 病気？の鶴松を連れて下田へ帰る	柳生の山を購入		廃藩置県
五年	一八七二	㉛ 髪結い業を開始	㉚ マツと結婚		太陽暦採用
六年	一八七三	唐人お吉とアダナされる	長女 とく 誕生		
七年	一八七四	㉝ 鶴松の不倫により夫婦仲を解消	マツを実家に帰し、		
八年	一八七五		末弟 藤蔵を戸籍上 長男にする		
九年	一八七六	㉟ 三島で芸者を再開／姉 もと 死去		㉘ 益田孝 三井物産設立 初代社長	
十年	一八七七				西南戦争／西郷隆盛 自決
十一年	一八七八	㊲ 下田に戻り髪結い業を再開			ハリス死去 73歳
十二年	一八七九			⑯ 東都遊学	
十三年	一八八〇	㊴ 甥 勘蔵 病死 宝福寺に葬る			

F.ベアトについては
こちらを御参照ください
横濱居留地 17 番地
「士官の娘」と３人の写真家たち
原作シナリオ＝杉本 武
漫画＝桜豆大福
監修＝斎藤多喜夫（横浜外国人居留地研究会 会長）

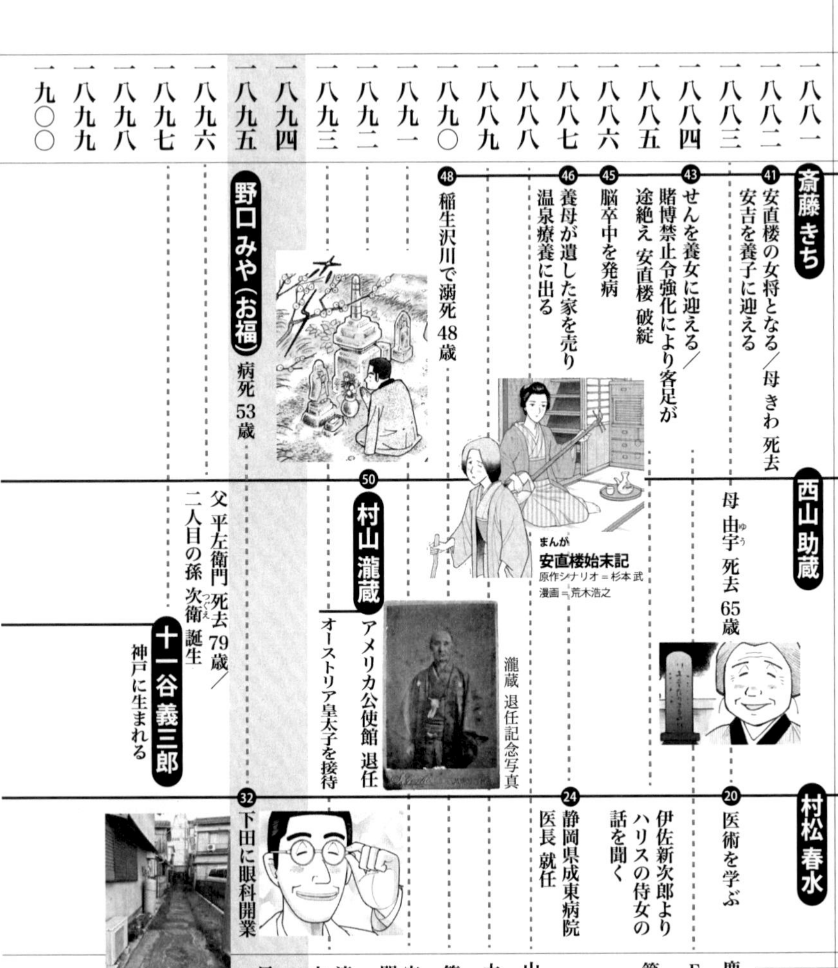

年	西暦	出来事
十四年	一八八一	
十五年	一八八二	
十六年	一八八三	鹿鳴館落成 開館
十七年	一八八四	Fベアト日本を離れる
十八年	一八八五	第一次伊藤博文内閣発足
十九年	一八八六	
二十年	一八八七	
二十一年	一八八八	山岡 鉄舟 死去53歳
二十二年	一八八九	大日本帝国憲法発布
二十三年	一八九〇	第一回総選挙
二十四年	一八九一	安直楼跡 すし兼として開業
二十五年	一八九二	
二十六年	一八九三	清水次郎長こと 山本長五郎 死去73歳
二十七年	一八九四	日清戦争
二十八年	一八九五	
二十九年	一八九六	
三十年	一八九七	
三十一年	一八九八	
三十二年	一八九九	
三十三年	一九〇〇	

斎藤 きち

- 41 安直楼の女将となる／母 きわ 死去 安吉を養子に迎える
- 43 せんを養女に迎える／賭博禁止令強化により客足が途絶え 安直楼 破綻
- 45 脳卒中を発病
- 46 養母が遺した家を売り温泉療養に出る
- 48 稲生沢川で溺死 48歳

西山 助蔵

- 母 由宇(ゆう) 死去 65歳
- 父 平左衛門 死去 79歳／二人目の孫 次衛(つぐえ) 誕生

村山 瀧蔵

- 50 アメリカ公使館 退任
- オーストリア皇太子を接待

瀧蔵 退任記念写真

十一谷 義三郎

- 神戸に生まれる

村松 春水

- 20 医術を学ぶ
- 伊佐新次郎よりハリスの侍女の話を聞く
- 24 静岡県成東病院 医長 就任
- 32 下田に眼科開業

野口 みや（お福）

- 病死 53歳

横濱で士官の娘撮影される

まんが
安直楼始末記
原作シナリオ＝杉本 武
漫画＝荒木浩之

村松眼科医院は、新田(しんでん)の通りから神明宮の参道を入った先にあった。

和暦	西暦	出来事	村山瀧蔵		社会
三十四年	一九〇一	森一（斧水）誕生 後に開国の町 下田の黒船文化を牽引			
三十五年	一九〇二				
三十六年	一九〇三				
三十七年	一九〇四				日露戦争
三十八年	一九〇五				
三十九年	一九〇六		64 村山瀧蔵 二男瀧三郎の住む大連に移り住む		アメリカ公使館大使館となる
四十年	一九〇七				
四十一年	一九〇八				
四十二年	一九〇九	横浜開港側面史 キチの名が載る		12 父結核で死去	伊藤博文 射殺される 写真家Fベアト死去
四十三年	一九一〇		68 妻マツ死去		
四十四年	一九一一	静岡民友新聞 傾城塚の記事掲載	69 瀧蔵 妻ウタ死去		
四十五年／大正元年	一九一二	助蔵ばなし評判になる			明治天皇崩御／大正天皇践祚
大正二年	一九一三	信田葛葉 著 薔薇娘 発刊	自宅を建替		
三年	一九一四	下岡蓮杖 死去91歳			
四年	一九一五		73 下田に戻った瀧蔵と再会		
五年	一九一六			19 兄失踪／恩人死去	第一次世界大戦
六年	一九一七				
七年	一九一八		76 村山瀧蔵 大連で死去76歳 目黒・大圓寺に眠る		
八年	一九一九			22 東京帝国大学 入学	
九年	一九二〇			23 川端康成と出会う	第一回国勢調査実施

和暦	西暦	出来事	社会
十年	一九二一	西山助蔵 死去78歳 下田・徳蔵寺に眠る	
十一年	一九二二	十一谷義三郎 25 英語教師となる	
十二年	一九二三		関東大震災
十三年	一九二四	郷土誌 黒船 創刊	
十四年	一九二五	42 パーシー・ノーエル バンクロフト大使と下田を訪れる 村松春水 61 唐人お吉研究 発表	七月二十七日 バンクロフト死去
十五年／昭和元年	一九二六	川端康成 伊豆の踊子 発表	大正天皇崩御／昭和天皇践祚
昭和二年	一九二七	45 オペラ 黒船(夜明け) 台本執筆 30 創作活動に専念	玉泉寺 ハリス記念碑除幕式
三年	一九二八	31 小説 唐人お吉 発表 弟 結核で死去	
四年	一九二九	47 山田耕筰 により （その後 数々のお吉ものを発表）	世界恐慌
五年	一九三〇	オペラ 黒船(夜明け) 序景 完成 32 結婚 67 實話唐人お吉 発刊	
六年	一九三一		満州事変
七年	一九三二		
八年	一九三三	新渡戸稲造 下田を訪れる 同年十月カナダで死去71歳 36 神奈川県三浦郡逗子町(現逗子市)に転居 東京 巣鴨に転居	日本 国連を脱退
九年	一九三四	第一回 黒船祭 開催 37 長女誕生	渋谷駅前にハチ公像が建つ
十年	一九三五		
十一年	一九三六		二・二六事件
十二年	一九三七	39 結核により死去39歳	
十三年	一九三八	90 益田孝 死去90歳	
十四年	一九三九		第二次世界大戦開戦
十五年	一九四〇	58 オペラ 黒船(夜明け) 日本語版完成 下岡蓮杖 撮影という お吉写真が話題になる 77 「お吉とは離縁した」と語る	

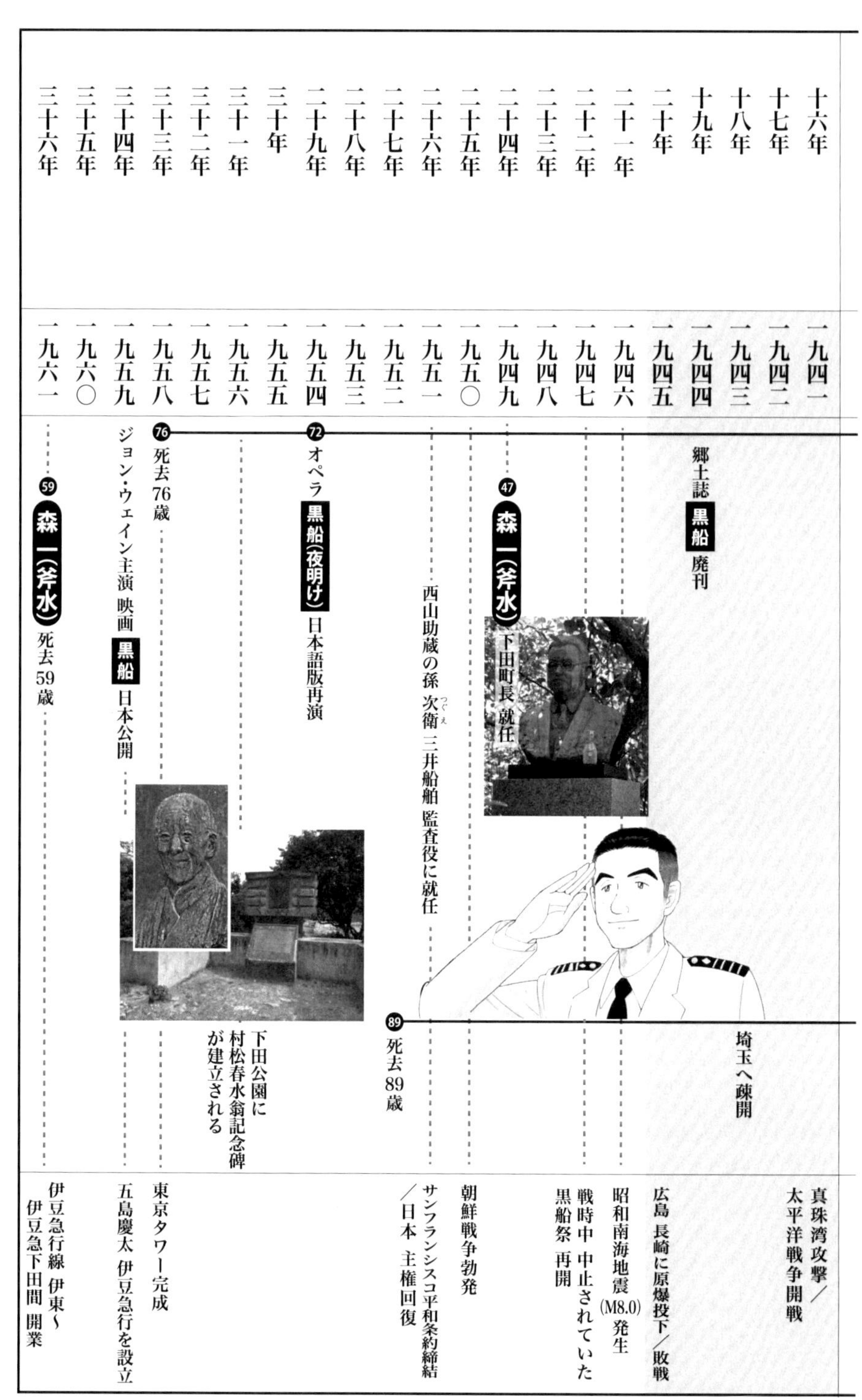

和暦	西暦	事項	出来事
十六年	一九四一		真珠湾攻撃／太平洋戦争開戦
十七年	一九四二		
十八年	一九四三	埼玉へ疎開	
十九年	一九四四	郷土誌 **黒船** 廃刊	
二十年	一九四五		広島 長崎に原爆投下／敗戦
二十一年	一九四六		昭和南海地震(M8.0)発生
二十二年	一九四七		戦時中 中止されていた 黒船祭 再開
二十三年	一九四八		
二十四年	一九四九	47 **森 一(斧水)** 下田町長 就任	
二十五年	一九五〇		朝鮮戦争勃発
二十六年	一九五一	西山助蔵の孫 次衛(つぐえ) 三井船舶 監査役に就任	サンフランシスコ平和条約締結／日本 主権回復
二十七年	一九五二	89 死去89歳	
二十八年	一九五三		
二十九年	一九五四	72 オペラ **黒船(夜明け)** 日本語版再演	
三十年	一九五五		
三十一年	一九五六	下田公園に 村松春水翁記念碑 が建立される	
三十二年	一九五七		
三十三年	一九五八	76 死去76歳	東京タワー完成
三十四年	一九五九	ジョン・ウェイン主演 映画 **黒船** 日本公開	五島慶太 伊豆急行を設立
三十五年	一九六〇		
三十六年	一九六一	59 **森 一(斧水)** 死去59歳	伊豆急行線 伊東～伊豆急下田間 開業

1995「黒船の時代」黒船館 編　小西四郎＝監修 / 河出書房新社
1996「幕末・明治のおもしろ写真」石黒敬章 / 平凡社
1997「マンガ静岡県史 幕末・維新篇 (静岡県の成立)」石ノ森章太郎＝監修 / 静岡県教育委員会
1998「ペリー日本遠征記図譜」豆州下田郷土資料館
1998「図説 幕末明治流行事典」湯本豪一 / 柏書房
2000「明治・大正 家庭史年表 1868-1925」下川耿史＝編 / 家庭総合研究会
2002「伊豆と世界史」桜井祥行 / 批評社
2004「黒船異聞～日本を開国したのは捕鯨船だ」川澄哲夫 / 有隣堂
2005「江戸の外国公使館」港区立港郷土資料館 編 / 港区立港郷土資料館
2006「ハリスとヒュースケン 唐人お吉 物語の虚実」尾形征己 / 下田開国博物館
2007「肥田 実 著作集 幕末開港の町 下田」肥田 実 / 下田開国博物館
2008「下田ばなし」森 秀樹 / 黒船社
2009「下田の歴史と史跡」肥田喜左衛門 / 下田開国博物館
2009「小説 横浜開港物語」山本盛敬 / ブイツーソリューション
2010「大正イマジュリィの世界」山田俊幸＝監修 / ピエ・ブックス
2011「ダイジェストでわかる外国人が見た幕末ニッポン」川合章子 / 講談社
2012「〈通訳〉たちの幕末維新」木村直樹 / 吉川弘文館
2012「レンズが撮らえたF.ベアトの幕末」F・ベアト [撮影],
小沢健志 , 高橋則英 監修 / 山川出版社
2012「レンズが撮らえた幕末明治の女たち」小沢健志＝監修 / 山川出版社
2012「明治クロニクル この国のかたちを決定づけた維新のドラマを読む」世界文化社
2012「絵が語る知らなかった幕末明治のくらし事典」本田豊 / 遊子社
2013「唐人お吉物語 その虚構と真実」村上文機 / 玉泉寺ハリス記念館
2014「ペリーと黒船祭」佐伯千鶴 / 春風社
2014「カメラが撮らえた 幕末・明治・大正の美女」津田紀代＝監修 /KADOKAWA/ 中経出版
2015「浦賀奉行所」西川武臣 / 有隣堂
2015「明治から平成に生きた人物 加藤虎之助と佐野利道～下田の人物像～」田中省三
2019「不平等ではなかった幕末の安政条約」鈴木荘一＋関良基＋村上文樹 / 勉誠出版

■その他 資料 / 論文等
1938「第五回 黒船祭記念」静岡懸賀茂群下田町
1992「季刊 下田帖 26 27 28～斎藤きち外伝」前田實 / 下田帖編集発行所
2017 論文『十一谷義三郎「唐人お吉」の誕生』関 肇 / 関西大学文学部
2018「開国の記憶」村上文樹（玉泉寺住職）/ 伊豆新聞 寄稿
「下田市史 資料編三 幕末開港」下田市教育委員会 / 静岡県下田市教育委員会
「下田市史 別編 幕末開港」下田市教育委員会 / 静岡県下田市教育委員会
「F.ベアト幕末日本写真集」横浜開港資料館

稲生沢公民館講座「幕末の稲生沢」、下田遊覧案内「御神火の大島　お吉の下田」、
伊豆遊覧案内、下田附近鳥瞰図　、唐人お吉の伊豆の下田へ、「下田港の史跡と風光」、
「伊豆公立公園 観光の下田」、「曹洞宗瑞龍山玉泉寺」

参考資料

発行年「タイトル」作者 / 出版社

1965「西山助蔵の生涯 黒船とわが家」山梨まさ

●

1913「薔薇娘」信田葛葉 / 萬字堂書店
1930「実話 唐人お吉」村松春水 / 平凡社
1933「玉泉寺今昔物語」村上文機 / 玉泉寺
1997「中村 今むかし」中和会 /「中村 今むかし」編集委員会
2016「開館 30 周年記念 下田開国博物館 収蔵品・展示品図録」
下田開国博物館 編 / 下田開国博物館

●

1969「黒船物語」レイモンド・服部 / ルック社
1973「ハリス日本滞在記」ハリス　坂田精一 = 訳 / 岩波文庫
1989「ヒュースケン日本日記　1855-61」青木枝朗 = 訳 / 岩波文庫
2000 論文『西山助蔵の「英語単語帳」』河元由美子 / 英学史研究
2001「幕末の玉泉寺」岡田光夫 / 玉泉寺ハリス記念館

●

1830「英和・和英語彙」メド・ハースト / バタヴィア
1896「開国先登 提督彼理 全」米山梅吉 / 博文館
1908「開国五十年記念 真理 第十七号」佛教傳道會
1909「横濱開港側面史」横濱貿易新報社
1925「幕末下田開港史」石井信一 / 静岡県賀茂郡教育會
1926「下田案内」村松春水 / 黒船社
1934「新聞雑誌に現れた明治時代文化記録集成 前編」石田文四郎 / 大成書院
1935「新聞雑誌に現れた明治時代文化記録集成 後編」石田文四郎 / 大成書院
1934「黒船画譜」黒船社
1947「黒船談叢」森斧水 / 下田文化協會
1950「傳記 唐人お吉」丹 潔 / ジープ社
1958「スクリーン」近代映画社
1956「幕末の伊豆下田」持月博行 / 勉強堂書店
1956「幕末開国史上における伊豆下田」持月博行 / 勉強堂書店
1960「未刊横浜開港史料 限定版」神奈川県図書館協会郷土資料集成編纂委員会編 / 神奈川県図書館協会
1962「伊豆 下田」地方史研究所 / 地方史研究所
1966「唐人お吉 幕末外交秘史」吉田常吉 / 中公新書
1967「明治の開幕」大宅壮一 / 光文社
1972「明治期家庭生活の研究」中部家庭経営学研究会 / ドメス出版
1981「陽だまりの樹」手塚治虫 / 小学館
1983「下田物語 上 中 下」オリヴァー・スタットラー / 現代教養文庫
1986「東西交流叢書 1 開国の使者〜ハリスとヒュースケン」宮永 孝 / 雄松堂出版
1988「黒船（復刻版）創刊〜 5 巻 12 号合本」湘南堂書店
1989「自叙益田孝翁伝」長井実 / 中央公論社
1993「タウンゼント・ハリス 教育と外交にかけた生涯」中西道子 / 有隣新書
1995「静岡県歴史の道 下田街道」静岡県教育委員会

この本を作り上げるために
惜しみないご協力
また勇気をあたえてくださった方々に
心より感謝申し上げます

西山 純江
西山 朋子
山梨 良介
山梨 公美子
山梨 恵里子
村山 康道
十文字 誠

玉泉寺 村上 文樹
安直楼 栁田 恭一
栁田 貴子
傾城塚 岩淵 正義
岩淵 千鶴
下田開国博物館 尾形 征己
伊豆新聞 山下 聡

青島 清
秋元 健三
飯田 いづみ
石垣 直樹
磯和 伸明
岩崎 努
植松 正夫
内田 夏樹
内山 浩志
浦部 奈津美
大村 賢一郎
小熊 廣美
折笠 勝也
加藤 茂

菊池 新
櫛田 雅志
櫛田 久美子
櫛田 奈美子
斎藤 多喜夫
斉藤 能仁
笹本 龍也
笹本 ゆかり
佐藤 潤
澤地 寛之
塩崎 利弘
志田 昇
清水 政道
下田 朋美

白澤 秀樹
じんの ひろあき
新間 哲郎
鈴木 勝士
武井 彩
武井 文和
ちば ともみ
土橋 一徳
土屋 佳代子
土屋 天澄
土屋 百合子
照井 春次
照井 貴世江
徳島 一信

長池 茂
中川 織惠
中村 由美子
仁禮 哲身
萩原 正敏
萩原 和美
長谷川 貞雄
福田 素子
福田 加奈絵
福西 重夫
堀井 栄治
堀川 由紀
前田 實
前田 恵美

正木 真理子
松本 路子
明神 麻美
森 秀樹
森重 和雄
山口 郁輔
山梨 ゆかり
山本 貴之
横山 郁代
吉田 正人
渡邉 一夫
渡邉 順一
渡邉 佳世子
渡邉 幹夫

…ほか 幕末お吉研究会を応援くださっている皆さま

＊五十音順／誠に恐縮ながら敬称は略させていただきました＊

The Life of Sukezo

Original script
Sugimoto Takeshi

Manga creator
Araki Hiroyuki

Title calligraphy
Daikouji Kei

Translation
Hanabusa Midori

Dialect advisor
Suzuki Kiyoe

Proofreader
Oodaira Kana

Printer
Sansyodo Printing Co., Ltd.

Design/Production
PBC Inc.
pbc-network.co.jp
装丁／制作

印 刷
三昇堂印刷株式会社

校 閲
大平 香奈

方言指導
鈴木 清江

翻 訳
英 みどり

題 字
大光寺 圭

漫 画
荒木 浩之

原作シナリオ
杉本 武

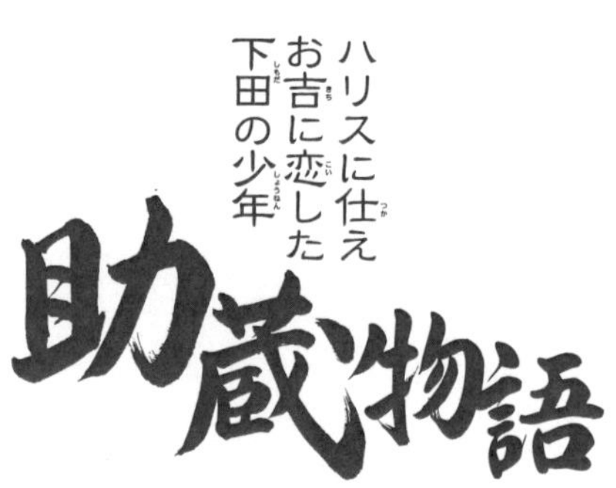

すけぞうものがたり

2020年8月21日 初版 発行

原作
シナリオ　杉本　武（幕末お吉研究会）
sukezo@okichi.com

漫　画　荒木 浩之（剣名プロダクション）

発行者　長倉 一正
発行所　有限会社 長倉書店
郵便番号 410-2407
静岡県伊豆市柏久保 552-4
電　話　0558-72-0713
ＦＡＸ　0558-72-5048

印刷・製本　三昇堂印刷株式会社

ISBN978-4-88850-073-9